Berliner Platz 3

NEU

Deutsch im Alltag

Intensivtrainer

von
Christiane Lemcke
Lutz Rohrmann

in Zusammenarbeit mit
Theo Scherling

Klett-Langenscheidt

München

Von
Christiane Lemcke und Lutz Rohrmann
in Zusammenarbeit mit Theo Scherling

Redaktion: Uli Wetz und Annalisa Scarpa-Diewald
Gesamtkonzept und Layout: Andrea Pfeifer
Umschlaggestaltung: Svea Stoss 4S_art direction
Coverfoto: Fotosearch, USA; Abbildung Straßenschild: Sodapix AG
Illustrationen: Nikola Lainović

Materialien zu *Berliner Platz 3 NEU*:

Gesamtausgaben:	
Lehr- und Arbeitsbuch mit Audio-CD zum Arbeitsbuchteil	606056
Lehr- und Arbeitsbuch mit Audio-CD zum Arbeitsbuchteil und Zusatzteil „Im Alltag EXTRA"	606057
Lehr- und Arbeitsbuch mit Audio-CD zum Arbeitsbuchteil und Treffpunkt D-A-CH 2	606059
2 Audio-CDs zum Lehrbuchteil	606058
Ausgabe in Teilbänden:	
Lehr- und Arbeitsbuch, Teil 1	606073
1 Audio-CD zum Lehrbuchteil 1	606075
Lehr- und Arbeitsbuch, Teil 2	606074
1 Audio-CD zum Lehrbuchteil 2	606076
Zusatzkomponenten:	
Intensivtrainer 3	606060
Lehrerhandreichungen 3	606062
Testheft 3	606061
Treffpunkt D-A-CH 3	606063
DVD	606081
Digital mit interaktiven Tafelbildern	606198

Symbole im Intensivtrainer:

nach **1**   Nach der Bearbeitung von Übung 1 im Lehrbuchteil können Sie diese Übung(en) im Intensivtrainer bearbeiten.

    Bei diesem Symbol finden Sie Hilfe unter der Übung.

1. Auflage   1 ⁸ ⁷ ⁶ ⁵ | 2018 17 16 15

Satz: Franzis print & media GmbH, München
Gesamtherstellung: Print Consult GmbH, München

ISBN 978-3-12-606060-8

Berliner Platz 3 NEU

Intensivtrainer

Inhaltsverzeichnis

nach **3**

1 **Wortfeld Familie**
Wiederholung – Ergänzen Sie die fehlenden Wörter.

Mann/Frau	Frau	Mann
die Großeltern	die _____	der _____
die _____	die Mutter	der _____
_____	_____	der Bruder
die _____	die Tochter	der _____
die Enkel	die _____	der _____
	die Tante	der _____
	die _____	der Cousin
	die Schwägerin	der _____
die Schwiegereltern	die _____	der _____

2 **Termine**
Ergänzen Sie den Dialog.

● Sag mal, Mama, kannst du nächsten Mittwoch kommen? Ich
   muss unbe__ __ __ __ __ in die St__ __ __ und mir
   Sch__ __ __ kaufen. Die Kin__ __ __ möchte ich da
   ni__ __ __ mitnehmen.

○ Mittwochvormittag?

● Ja, d__ __ wär' mir am lieb__ __ __ __.

○ Warte mal, i__ __ hole mal mei__ __ __ Kalender. Ich ka__ __ erst ab 11 U__ __, vorher
   bin i__ __ beim Arzt.

● Hm, d__ __ ist ein biss__ __ __ __ spät. Und am Donne__ __ __ __ __? Kannst du da
   viell__ __ __ __ __?

○ Ja, da ha__ __ ich den gan__ __ __ Nachmittag frei.

● D__ __ wäre toll. Am Nachm__ __ __ __ __ geht Ella zu ih__ __ __ Freundin und
   da__ __ hättest du n__ __ Paul.

○ Die Freu__ __ __ __ von Ella ke__ __ __ ich ja au__ __ und das i__ __ doch nicht
   we__ __. Paul und i__ __ machen einen Spazi__ __ __ __ __ __ und holen El__ __
   zum Abendbrot wie__ __ __ ab.

● Super, Mama, du bist ein Schatz. Danke!

nach **6**

3 Präpositionen

a Ergänzen Sie die Sätze.

mit • aus • ~~von~~ • im • in • auf • bei • vor

1. Wenn ich spät _VON_ der Arbeit nach Hause komme,

   steht das Essens meistens noch _____ dem Tisch.

2. Ein kühles Bier nehme ich _____ dem Kühlschrank.

3. Ich finde es schade, dass die Kinder dann schon _____

   Bett sind und ich nicht _____ ihnen essen kann.

4. Manchmal ist meine Frau auch _b____ den Kindern eingeschlafen.

5. Dann esse ich _____ dem Fernseher und warte, bis sie kommt.

6. Manchmal muss ich sie wecken und dann trage ich sie _____ unser Bett.

b Präpositionen und Kasus – Ergänzen Sie die Artikel.

1. ● Hast du mein Handy gesehen?

   ○ Nein, liegt es vielleicht in _____ Küche, auf _____ Küchentisch, oder hast du es auf _____

   Kommode gelegt?

2. ● Wohin kann ich meine Jacke legen?

   ○ Häng sie einfach an _____ Garderobe oder leg sie hier auf _____ Sessel.

3. ● Meine Brille war nicht in _____ Handtasche. Ich habe überall gesucht.

   ○ Und? Jetzt hast du sie auf _____ Nase! Wo hast du sie gefunden?

   ● Sie ist hinter _____ Regal gefallen und lag auf _____ Teppich neben _____ Lampe.

4. ● Wohin soll ich die Blumen stellen?

   ○ Am besten in _____ Arbeitszimmer auf _____ Schreibtisch neben _____ Computer. Da siehst

   du sie wenigstens.

c Präpositionen mit Akkusativ – Welche Präposition passt?

bis • für • durch • ohne • um • gegen • für • ohne

● Hattest du einen Unfall? Was ist passiert?

○ Ist nicht so schlimm. Ich bin wie immer quer _____ den

   Park gefahren _____ zum Kiosk auf der anderen Seite.

   Ich bin zu schnell _____ die Ecke gefahren und habe das

   Auto nicht gesehen. Ich habe gebremst und bin _____

   den Zaun gefallen.

● Bist du _____ deinen Helm gefahren?

○ Hm, ja, den hatte ich Claudia geliehen. Sie brauchte ihn _____ einen Kindergartenausflug. Da

   darf man nicht _____ Helm kommen.

● Da hast du aber noch Glück gehabt. Vielleicht solltest du _____ Claudia einen eigenen Helm

   kaufen.

4 Indirekte Fragesätze
a Schreiben Sie die Fragen neu.

1. Welche Unterschiede fallen Ihnen zwischen Deutschland und Ihrem Land auf? –
Können Sie beschreiben, …
2. Welche Vorurteile haben die Generationen übereinander? – Wissen Sie, …
3. Wie können Jung und Alt voneinander profitieren? – Mich würde interessieren, …
4. Wie können die Generationen einander besser helfen? – Man müsste untersuchen, …

> *1. Können Sie beschreiben, welche Unterschiede Ihnen zwischen …?*

b Schreiben Sie die indirekten Fragesätze.

1. Sie / sagen, / können / mir / wie viel / ein Babysitter / kosten / in der Stunde / ?
2. erklären, / können / dir / du / warum / so wenige Kinder / die Deutschen / haben / ?
3. interessieren, / mich / würde / meine Tochter / einen Kindergartenplatz / bekommen / ob / .
4. sagen, / können / mir / Sie / wo / finden / ich / Kinderschuhe / ?
5. wissen / ihr, / der nächste Bus / fahren / wann / ?
6. den Kellner / fragen, / ich / sollen / ob / es / geben / auch / Bratkartoffeln / ?
7. wissen, / möchte / der Chef / um wie viel Uhr / der Computer / funktionieren / wieder / .
8. herausfinden, / können / Sie / die Krankenkasse / meine Brille / bezahlen / ob / ?

> *1. Können Sie mir sagen, wie viel ein Babysitter …?*

5 Textzusammenfassung
Ergänzen Sie im Text die Verben in der richtigen Form.

anbieten • haben • kaufen • kommen • lernen • schaffen • sein • sein • sein • speichern • stehen • surfen • unterrichten

1. Mit 65 Jahren noch Englisch _____ und im Internet _____ ist kein Problem mehr. 2. In vielen Städten _____ Volkshochschulen und Seniorenakademien diese Kurse _____. 3. Beim Projekt EULE _____ es Schülerinnen und Schüler, die Senioren _____. 4. Bei diesem Unterricht _____ der Spaß im Vordergrund. 5. „Ich _____ überrascht, wie viel Geduld die jungen Leute mit uns _____", erklärt Frau Johanngieseker (65). 6. Für sie _____ die EULE die einzige Möglichkeit, mit Jugendlichen in Kontakt zu _____. 7. Die Jugendlichen haben es sogar _____, dass sich ältere Damen wie Hildegard Herbort (61) einen Computer _____, „um meine Kochrezepte zu _____", wie sie sagt.

6 Kreuzworträtsel
Es geht um 22 Nomen aus Kapitel 25.

Waagrecht: 1 Sie mögen einander sehr. Das muss wirkliche … sein. **5** Mein Sohn ist schlecht in Mathe. Ich glaube, er braucht Nach… **10** Ich kann mich nicht um die Hausaufgaben meiner Tochter kümmern. Deshalb geht sie in die H…b…g. **12** Unsere Kinder spielen oft auf dem Sp… **14** Anderes Wort für eine alte Frau: Sen… **17** Wir gehören zu einer Altersgruppe, wir sind eine Gen… **19** Die Menschen, die in einem Land leben, sind die Bev… **20** 10 Jahre sind ein … **21** Fotos haben oft einen Hintergrund und einen V…

Senkrecht: 2 Die Schüler strengen sich für ihren Unterricht an. Sie machen das mit viel En… **3** Wenn ich im Alter nicht mehr alleine leben kann, dann gehe ich ins … **4** Es ist ein Vorur…, dass alte Leute nichts Neues lernen können. **6** Die Schüler brauchen manchmal viel G…, weil ältere Menschen nicht so schnell lernen. **7** Ab dem dritten Lebensjahr gehen viele Kinder in den … **8** Wenn ich keine Frau als T… finde, kann ich nicht arbeiten, weil ich mich dann selbst um meine kleine Tochter kümmern muss. **9** Als Nr. 8 braucht man keine spezielle Qual…, man muss nur mit Kindern gut umgehen können. **11** Kinder brauchen viel Nr. 1, Nr. 6 und viel Ver… **13** Allein… haben es schwer, weil sie kaum Hilfe bei der Kindererziehung bekommen und alle Probleme selbstständig lösen müssen. **15** Seit meinem 14. Lebensjahr schreibe ich regelmäßig T…buch, jeden Tag ein paar Zeilen. **16** Das Gegenteil von Nr. 21. **18** Im Seniorenunterricht haben einige Schüler gemerkt, dass sie richtig T… zum Lehrerberuf haben.

Die Wortschatz-Hitparade

Nomen

der/die Alleinstehende, -n _____

der/die Alte, -n *(meist Pl.)* _____

der Austausch *Sg.* _____

der Besitzer, – _____

das Bewerbungstraining, -s _____

der Bewohner, – _____

die Biografie, -n _____

die Dachterrasse, -n_____

die Fläche, -n _____

das Frühjahr, -e _____

die Gemeinschaft, -en _____

die Generation, -en_____

das Grundstück, -e _____

die Hilfsbereitschaft *Sg.* _____

der/die Jugendliche, -en _____

der Kontakt, -e _____

der Kompromiss, -e_____

das Mehrgenerationenhaus, ″-er _____

die Nachbarschaft, -en _____

das Paar, -e _____

die Partnerschaft, -en _____

das Projekt, -e _____

das Selbstbewusstsein *Sg.* _____

der Senior, -en _____

die Seniorin, -nen _____

das Talent, -e _____

die Teilnahme *Sg.* _____

das Treffen, – _____

das Verhältnis, -se _____

das Verständnis *Sg.* _____

das Vertrauen *Sg.* _____

das Vorurteil, -e _____

das Wissensgebiet, -e _____

das Zusammensein *Sg.* _____

Verben

abbauen _____

anbieten _____

beibringen _____

entwickeln _____

erfahren _____

sich erkundigen (nach) _____

genießen _____

interessiert sein (an) _____

profitieren (von) _____

stattfinden _____

überrascht sein (von) _____

(sich) verstehen _____

Adjektive

geduldig _____

geeignet _____

gegenseitig _____

geistig _____

interessant _____

lebendig _____

ökologisch _____

speziell _____

Andere Wörter

inzwischen _____

maximal _____

nebenbei _____

ob _____

trotzdem _____

zwischen _____

7 Ergänzen Sie die passenden Wörter aus der Liste.

a Nomen

1. Auf d_____ _____ steht ein Haus mit Dachterrasse.

2. D_____ _____ haben das Haus gemeinsam geplant.

3. Ältere Menschen genießen d_____ _____ mit Kindern.

4. Eine Gemeinschschaft funktioniert ohne gegenseitiges _____ nicht.

5. In einer Gemeinschaft muss man immer _____ machen.

6. Wie ist d_____ _____ zwischen Jungen und Alten in Ihrem Land?

7. In einem Mehrgenerationenhaus wohnen _*Alleinstehende*_____, _____,
   _____ und _____.

b Verben

1. Im EULE-Projekt können Senioren und Jugendliche gegenseitige Vorurteile _____.

2. Sie können Verständnis für die Situation von Jugendlichen _____.

3. Die Jugendlichen können von den Erfahrungen der Senioren _____.

4. Auch die Senioren können Kurse _____.

5. Man kann sich gegenseitig etwas _____ .

8 Wichtige Sätze und Ausdrücke – Schreiben Sie in Ihrer Sprache.

Können Sie mir sagen, wann der Kurs beginnt?   _____

Wissen Sie, ob man hier auch Englisch lernen kann?   _____

Ich möchte wissen, ob noch Plätze frei sind.   _____

Ich kann Ihnen sagen, wann der Kurs beginnt.   _____

9 Wichtige Wörter und Sätze für Sie – Schreiben Sie.

Ihre Sprache: Deutsch:

_____   _____

_____   _____

_____   _____

_____   _____

_____   _____

10 Ich über mich
Schreiben Sie mindestens drei Sätze.

Was kann/möchte ich von meinen Eltern/Großeltern (älteren Menschen) lernen?
Was kann/möchte ich von Jugendlichen/Kindern lernen?

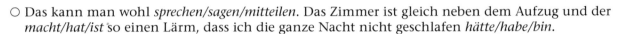

nach **3**

1 Im Hotel

a Welches Verb ist richtig? Markieren Sie.

● Guten Morgen, was kann ich für Sie *machen/bestellen/tun*?

○ Ich *soll/möchte/kann* ein anderes Zimmer.

● War etwas nicht in Ordnung?

○ Das kann man wohl *sprechen/sagen/mitteilen*. Das Zimmer ist gleich neben dem Aufzug und der *macht/hat/ist* so einen Lärm, dass ich die ganze Nacht nicht geschlafen *hätte/habe/bin*.

● Oh, das tut mir leid. Sie können selbstverständlich ein anderes Zimmer *machen/einziehen/haben*. Ich kann Ihnen ein Zimmer im dritten Stock *bekommen/anbieten/finden*.

○ Na gut.

● Das ist Zimmer 307. Wenn das Zimmer fertig ist, *holt/bestellt/nimmt* Ihnen jemand Ihr Gepäck.

b Wiederholung – Schreiben Sie die Perfektformen.

aufräumen	*hat aufgeräumt*	abschließen	
finden		renovieren	
buchen		übernachten	
reservieren		faxen	
mitnehmen		abschicken	
tragen		zurückrufen	
bleiben		abholen	
fahren		reparieren	
sprechen		putzen	
funktionieren		sauber machen	
abwaschen		begrüßen	
bedienen		staubsaugen	*hat gestaubsaugt*
bestellen		festlegen	
helfen		sich beschweren	

c Suchen Sie sich vier Verben aus und schreiben Sie je einen Satz.

_____

_____

_____

d Fragen an der Rezeption. Ordnen Sie zu.

1. Kann man hier auch Telefonkarten kaufen?

2. Kann ich bei Ihnen Geld wechseln?

3. Der Fernseher funktioniert nicht.

4. Ich brauche eine neue Zugverbindung. Könnte ich kurz bei Ihnen ins Internet?

5. Es ist schon halb eins und mein Zimmer ist noch nicht aufgeräumt.

6. Meine Frau kommt morgen. Hätten Sie vielleicht noch ein Doppelzimmer frei?

7. Kann ich mein Gepäck hier stehen lassen?

8. Sie wollten mir doch den Schlüssel für die Garage geben!

___ a) Tut mir leid, ich sage dem Hausmeister sofort Bescheid.

___ b) Nein, aber gleich rechts neben dem Hotel ist ein Schreibwarengeschäft.

___ c) Natürlich, wir bringen es sofort auf Ihr Zimmer.

___ d) Entschuldigung, das habe ich vergessen. Hier ist er, bitte schön.

___ e) Tut mir leid, es kommt sofort jemand.

___ f) Selbstverständlich. Sie können in das Zimmer 118 umziehen.

___ g) Nein, aber gleich gegenüber ist eine Bank.

___ h) Selbstverständlich. Bitte kommen Sie doch mit in mein Büro.

e Schriftliche Anfrage – Ergänzen Sie den Text.

```
An:  paradies-holzkirchen@g-oneline.de
Von: peter.schuette@gmx.de

Sehr geehrte Frau Beisl,
wir würden gern auch in diesem Sommer wieder (1) Familienurlaub bei Ihnen
verbringen. Auf Ihrer Homepage habe ich gesehen, (2) Sie jetzt auch Ferien-
wohnungen vermieten. Das würde (3) sehr interessieren. Leider sind bisher
noch keine weiteren Angaben (4) Ihrer Homepage. Könnten Sie uns bitte Infor-
mationen zusenden, wie groß die Ferienwohnungen sind, wie viele Zimmer sie
haben und (5) es ein Kinderbett gibt? Gibt es (6) Balkon oder eine Terrasse?
Können wir auch das Hallenbad und die Sauna mitbenutzen? (7) uns Ihr Essen
im letzten Jahr sehr gut geschmeckt hat, (8) für uns eine Ferienwohnung mit
Halbpension ideal. Haben Sie dazu ein Angebot? Wir würden uns freuen, bald
von (9) zu hören, (10) wir buchen können.
Vielen Dank und mit freundlichen Grüßen
Familie Schütte
```

1. a) unsere
   b) unseren
   c) unserem

2. a) weil
   b) wenn
   c) dass

3. a) wir
   b) uns
   c) unser

4. a) auf
   b) bei
   c) unter

5. a) wie
   b) ob
   c) wann

6. a) eine
   b) einem
   c) einen

7. a) Da
   b) Den
   c) Wenn

8. a) war
   b) wäre
   c) wären

9. a) Ihm
   b) Ihnen
   c) euch

10. a) damit
    b) um
    c) deshalb

2 Deklination

a Ergänzen Sie die Artikel in der richtigen Form.

● Herzlichen Glückwunsch. Du hast d____ (1) Prüfung bestanden. Steht d____ (2) neue Auto schon vor d____ (3) Tür?

○ Nein, in d____ (4) Garage, bei m_____ 5) Porschehändler ☺.

● D____ (6) Blumenstrauß ist von Klara, die konnte nicht
kommen. Und hier ist e____ (7) Überraschung von uns!

○ E_____ (8) Geschenk? Zum Führerschein? Was ist …?

● Pack schon aus, wir sind neugierig!

○ Hey, e____ (9) Kuchen, e____ (10) T-Shirt
„DRIVER'S licence" , e____ (11) Schlüsselanhänger, e____ (12) Parkscheibe … e____ (13)
Gutschein? „Gutschein für ei____ (14) Ausflug im Leihwagen". Super!!!

● Wir dachten, du fährst d____ (15) Freunde mal etwas in der Gegen rum … Passt dir d____ (16)
nächste Wochenende?

○ Ja, Klar! Jetzt trinken wir aber erst mal e____ (17) Kaffee und essen d____ (18) leckeren Kuchen.

b n-Deklination: Endungen von Nomen – Ergänzen Sie -(e)s oder -(e)n.

1. Susanne ist die Tochter eines Polizist____ und liebt einen Kollege____ ihres Vater____.

2. Das ist das Auto unseres Nachbar____, Freund____ und Vereinspräsident____ Hubert.

3. Ich bin zurzeit die Sekretärin meines Mann____, des Chef____ der Firma Kahlmeier GmbH.

4. Das ist das Restaurant eines Türke____ und da drüben ist das eines Chinese____.

5. Ich kann erst später kommen, weil mein Sohn krank ist. Ich muss mit dem Jung____ zum Arzt.

6. Das Gehalt eines Direktor____ ist doppelt so hoch wie das eines Angestellte____ oder eines
Lehrer____.

nach 5

3 Ein Brief
Im Brief sind 15 Rechtschreibfehler. Korrigieren Sie.

Hallo, Zuheir,

es ist gar nicht so einfach, in den Ferin einen Job zu bekomen. Du weißt, ich habe zu Hause oft
als Kellner gejobbt und habe da viel Erfarung. Kellner braucht man doch eigentlich immer,
vor allem im Sommer, wen die Kneipen und Restaurants bis spetabends auch draußen serviren.
Die maisten Kneipen und Restaurants haben eine Liste von Läuten, die sie anrufen, wenn sie
jemanden brauchen. Da stehe ich jetzt auch drauf, aber ganz unten! Nechste Woche kann
ich an drei Abenden in einer Eisdiele aushelfen und am Wochenende giebt es Arbeit in einer
Küsche. Zu dem Restaurant gehört auch ein groser Biergarten und da hofe ich ja …
Wünsch mir Glück, das ich bald etwas finde!

Viele Grüße

Tarek

nach **8**

4 Vergleiche

a Ergänzen Sie die fehlenden Adjektivformen.

hoch	*höher*	*am höchsten*
	schneller	
		am besten
warm		
		am billigsten
	mehr	
	bequemer	
dick		
	sportlicher	
		am liebsten
jung		
	anstrengender	
sicher		

b Wiederholung: Vergleiche – Ordnen Sie zu.

1. Ich finde die Arbeit an der Rezeption genauso   ____   a) als eine Friseurlehre.

2. Frau Throm arbeitet jetzt   ____   b) beste Hotel, das ich kenne.

3. Das Hotel „Zehntkeller" in Iphofen ist das   ____   c) interessant wie die im Büro.

4. Dort haben sie den besten   ____   d) Service in der ganzen Region.

5. Eine Ausbildung als Hotelkauffrau ist interessanter   ____   e) weniger, weil sie ein Kind hat.

5 Eine E-Mail aus dem Urlaub
Sie sind gerade im Urlaub. Schreiben Sie an einen Freund / eine Freundin. Schreiben Sie zu jedem Punkt mindestens zwei Sätze.

– Mit wem machen Sie Urlaub?
– Wie lange sind Sie unterwegs?
– Wo wohnen Sie?
– Was unternehmen Sie?
– Was gefällt Ihnen besonders gut?

Die Wortschatz-Hitparade

Nomen

die Alpen *Pl.* _____

die Attraktion, -en _____

der Ausbildungsplatz, "-e _____

die Barzahlung, -en _____

der/die Bewerber/in, –/-nen _____

das Einzelzimmer, – _____

der Empfang, "-e _____

das Erlebnis, -se _____

der Fluss, "-e _____

die Fremdsprachenkenntnisse *Pl.* _____

die Freude, -n _____

das Frühstücksbüfett, -s _____

die Insel, -n _____

die Kraft, "-e _____

die Kundschaft, -en _____

die Landschaft, -en _____

das Personal *Sg.* _____

der Profi, -s _____

die Reinigung, -en _____

das Reiseangebot, -e _____

der/die Rezeptionist/in, -en/-nen _____

die Schicht, -en _____

das Servicepersonal *Sg.* _____

die Speisekarte, -n _____

die Suppe, -n _____

das Tal, "-er _____

die Teilzeit *Sg.* _____

die Temperatur, -en _____

das Tier, -e _____

die Tour, -en _____

die Verwaltung, -en _____

(die) Verzeihung *Sg.* _____

die Vollzeit *Sg.* _____

die Vollzeitkraft, "-e _____

der Wanderweg, -e _____

die Wintersportart, -en _____

der Winterurlaub, -e _____

das Zimmermädchen, – _____

der Zimmerservice, -s _____

die Werbung, -en *(meist Sg.)* _____

Verben

abreisen _____

aufräumen _____

bedienen _____

bestellen _____

einchecken _____

sich erholen (von) _____

festlegen _____

kritisieren _____

loben _____

staubsaugen _____

verbringen _____

vorkommen _____

Adjektive

ausgebucht _____

beliebt _____

notwendig _____

schneebedeckt _____

tief _____

traumhaft _____

Andere Wörter

werktags _____

tagsüber _____

6 Wortschatz sammeln und erweitern
   a Machen Sie Wörternetze.

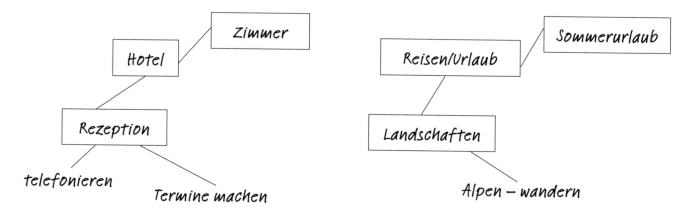

   b Welche anderen Wörter möchten Sie zu diesem Wortfeld noch lernen? Sammeln Sie in Ihrer Muttersprache und arbeiten Sie dann mit dem Wörterbuch.

7 Wichtige Sätze und Ausdrücke – Schreiben Sie in Ihrer Sprache.

Ich möchte mich (bei Ihnen) beschweren.   _____

Das Zimmer ist zu laut.   _____

Der Fernseher / Die Dusche ... funktioniert nicht.   _____

Das tut mir leid, da kann ich Ihnen nicht helfen.   _____

Ich kümmere mich gleich darum.   _____

Ich mache am liebsten Urlaub am Meer.   _____

Ich fahre genauso gerne in die Berge.   _____

Am schönsten ist es zu Hause.   _____

Mir gefällt es in Köln besser als in Frankfurt.   _____

8 Wichtige Wörter und Sätze für Sie – Schreiben Sie.

Ihre Sprache: Deutsch:

9 Ich über mich
   Schreiben Sie mindestens drei Sätze.

   Was finden Sie wichtig im Urlaub? Mit wem machen Sie Urlaub?
   Welchen Urlaubsort empfehlen Sie? Was war Ihr schönster Urlaub?

Man ist, was man isst

nach **2**

1 **Essen und Trinken**

a Wiederholung: Wortfeld „Essen und Trinken" – Machen Sie eine Tabelle wie im Beispiel und tragen Sie die Wörter ein. Ergänzen Sie dabei die Artikel und die Pluralformen.

Schnitzel • Essig • Kaffee • Apfelsaft • Salami • Pfeffer • Zucker • Zwiebel • Nudel • Fisch • Möhre • Orange • Limonade • Wein • Zitrone • Mango • Schinken • Tee • Tomatensaft • Rindfleisch • Bier • Gurke • Fleischwurst • Apfel • Milch • Kartoffel • Weißbrot • Gemüsesuppe • Pizza • Steak • Reis • Mineralwasser • Käse • Öl • Birne • Salz • Butter • Marmelade • Margarine • Banane • Gouda • Schweinefleisch • Kiwi • Salat • Bratwurst • Lammkeule • Leberwurst • Quark • Nuss • Brötchen • Joghurt • Tomate • Geflügel • Vollkornbrot • Obst • Pfirsich • Ei • Kuchen • Torte

Getränke	vom Obst- und Gemüsehändler	vom Metzger	vom Bäcker	Milchprodukte	Sonstiges

das Schnitzel
die Schnitzel

der Zucker Sg.

b Wiederholung: Mengenangaben und Verpackungen – Was passt? Ordnen Sie zu.

1. Ich möchte bitte ein Kilo …

2. Bitte geben Sie mir sechs Scheiben …

3. Was kostet ein Liter …

4. Ich hätte gerne drei …

5. Geben Sie mir bitte eine Dose …

6. Ich brauche noch ein Päckchen / eine Packung …

7. Ich nehme zwei Flaschen …

Geflügel • Kaffee • Saft • Bananen • Milch • Pizza • Zwiebeln • Gouda • Fisch • Schinken • Steak • Tomaten • Äpfel • Olivenöl • Kaffee • Kiwis • Schnitzel • Schweinefleisch • Reis • Wein • Bier • Limonade • Essig • Butter • Brot • Quark • Joghurt • Pfeffer • Ei • Gurken • Milch • Nudeln • Zucker

nach **5**

2 **Sätze mit und ohne *zu* + Infinitiv**
Was passt zusammen? Bauen Sie Sätze wie im Beispiel. Es gibt mehrere Möglichkeiten.

1. Natalie hat
2. Frau Eltyab will
3. Erich hat sich
4. Klaus vergisst
5. Es ist wichtig,
6. Ich habe keine Lust,
7. Petra möchte
8. Vergiss nie,

9. einmal im Jahr
10. gestern angefangen,
11. immer
12. jeden Tag
13. manchmal
14. mit dem Rauchen
15. rechtzeitig
16. vorgenommen,

17. am liebsten nur Gemüse essen.
18. aufhören.
19. eine vegetarische Diät zu machen.
20. einfach nur das Essen genießen.
21. für das Wochenende einzukaufen.
22. für die Prüfung zu lernen.
23. Kartoffeln zu essen.
24. mit dem Rauchen aufzuhören.

1 + 10 + 19/22
Natalie hat gestern angefangen, eine vegetarische Diät
zu machen. / ... für die Prüfung zu lernen.

3 **Sprachbausteine**
Kreuzen Sie die passenden Wörter an.

Ich laufe (1) Morgen eine halbe Stunde! (2) braucht mein Körper. Im Büro sitze ich den ganzen Tag (3) Computer. Früher hatte ich oft Probleme mit starken Rückenschmerzen – heute bin ich den ganzen Tag fit. (4) Frühstück esse ich nur frisches Obst und Müsli, in der Firma dann meistens einen kleinen Joghurt oder einen (5) Salat. Das normale Kantinenessen macht dick!

Ich bin (6) ein paar Jahren Vegetarierin. Früher war ich oft krank. Das hatte bestimmt mit meiner falschen Ernährung zu tun! Seit drei Jahren (7) ich nur noch Biogemüse, Obst und Milchprodukte von einem Biobauern aus (8) Region. Jetzt bin ich wieder schlank und habe fast keine Probleme (9) mit meiner Gesundheit. Ich sage immer: Auf die gesunde Ernährung kommt es an! Bei mir in der Nähe (10) es eine tolle Sauna. Da gehe ich alle zwei Wochen hin.

1. a jeden	3. a am	5. a frisch
b jeder	b beim	b frischer
c jedes	c im	c frischen

7. a isst
b esse
c gegessen

9. a viel
b als
c mehr

2. a Den
b Dem
c Das

4. a Am
b Zum
c Im

6. a seit
b vor
c mit

8. a unserer
b unserem
c unser

10. a hat
b gibt
c geben

4 Kartoffeln
Bei etwa jedem dritten Wort fehlt ungefähr die Hälfte. Ergänzen Sie die Wörter.

Wenn man von Ernährungsgewohnheiten spricht, denkt man bei den Deutschen auch immer an Kartoffeln. In Europa ke___ ___ ___ man die Kart___ ___ ___ ___ ___ aber erst se___ ___ 450 Jahren und in d___ ___ Küche findet m___ ___ sie erst se___ ___ 200 Jahren. Heute i___ ___ sie auf je___ ___ ___ Speiseplan zu fin___ ___ ___ und viele Deut___ ___ ___ ___ essen fast täg___ ___ ___ ___ Kartoffeln. Man ka___ ___ sie kochen, bra___ ___ ___, man kann Sa___ ___ ___ oder köstliche Sup___ ___ ___ daraus machen, es gi___ ___ viele Varianten. In ländl___ ___ ___ ___ ___ Gegenden in Norddeut___ ___ ___ ___ ___ ___ ___ hat man so___ ___ ___ zum Frühstück Bratkar___ ___ ___ ___ ___ ___ ___ auf Schwarzbrot gege___ ___ ___ ___ ___ ___. Das gibt es he___ ___ ___ bestimmt immer selt___ ___ ___ ___, aber überall in Deuts___ ___ ___ ___ ___ ___ findet man d___ ___ Kartoffel als Pom___ ___ ___ frites oder Kartoff___ ___ ___ ___ ___ ___ ___, was vor al___ ___ ___ eine Spezi___ ___ ___ ___ ___ ___ von Jugendlichen i___ ___, aber auch Erwac___ ___ ___ ___ ___ essen sie ge___ ___, vor allem be___ ___ Fernsehen. Im Süden Deutschlands hat die Kartoffel aber eine große Konkurrentin: die Nudel.

`nach 7`

5 Sätze mit *obwohl*
a Schreiben Sie Fragen wie im Beispiel.

1. Warum ist das Taxi nicht da? Ich habe es vor einer halben Stunde bestellt!
2. Warum bleibst du heute nicht zu Hause? Du bist krank!
3. Warum bist du so unzufrieden? Du hast die Prüfung bestanden!
4. Warum fährst du in Urlaub? Du hast kein Geld!
5. Warum fährst du nicht mit der Straßenbahn? Du hast ein Monatsticket.
6. Warum bist du noch da? Du hast einen wichtigen Termin.
7. Warum hast du Steaks gemacht? Ich esse kein Fleisch!
8. Warum hast du nicht gewartet? Ich habe dir gesagt, dass ich auf jeden Fall komme!

> 1. Warum ist das Taxi nicht da, obwohl ich es vor einer halben Stunde bestellt habe?

b *Obwohl* oder *weil* – Ergänzen Sie die Konjunktionen.

1. Frau Schmieder ist Leihoma, _____ sie gerne mit Kindern zusammen ist. Sie ist

   Leihoma, _____ sie auch eigene Enkelkinder hat.

2. Axel Baatz geht jeden Abend spazieren, _____ er am Tag viel am Schreibtisch sitzt.

3. Viele Menschen rauchen, _____ sie wissen, wie ungesund das ist.

4. Birsen sitzt schon im Kursraum, _____ der Unterricht erst in einer halben Stunde

   beginnt. Sie lernt noch Wörter, _____ sie heute einen Test schreibt.

5. Margot Kuse fährt mit dem Fahrrad zur Arbeit, _____ sie fit bleiben möchte.

   _____ es im Winter manchmal hart ist, benutzt sie immer das Rad.

6. _____ Paul das Abitur hat, macht er eine Tischlerlehre. Seine Eltern finden das nicht

   so gut, _____ es immer weniger Arbeitsplätze in dem Beruf gibt.

7. Maria Braun arbeitet im Hotel, _____ sie gern mit Menschen zusammen ist.

   _____ sie nicht viel Geld verdient, macht ihr der Beruf Spaß.

8. Die Gäste von Zimmer 12 haben sich beschwert, _____ der Fernseher nicht funktioniert,

   _____ sie das schon gestern reklamiert haben.

9. _____ Herr Mettmann kein Urlaubsgeld mehr bekommt, fährt er in Urlaub. Aber nur

   zwei Wochen, _____ er nicht mehr Geld hat.

6 **Satzteile verbinden**

Markieren Sie die passende Satzverbindung oder das X, wenn man keine braucht.

1. Ich finde, **dass/X/weil** man kann in Österreich gut leben.
2. Ich verstehe nicht, **ob/warum/wenn** die Leute so langweiliges Essen mögen.
3. Man muss sich richtig ernähren, **dass/wenn/bis** man gesund bleiben will.
4. Süßigkeiten schmecken gut, **denn/aber/deshalb** sie sind ungesund.
5. Scharfe Speisen geben mir die Energie, **dass/die/denn** ich zum Leben brauche.
6. Viele Menschen haben Übergewicht, **X/denn/weil** sie von Fast Food leben.
7. Man soll nicht so viel Schokolade essen, **denn/weil/deshalb** das dick macht.
8. Man hat auch weniger Hunger, **weil/obwohl/wenn** man viel Wasser trinkt.
9. Ich glaube, **dass/weil/X** man muss ab und zu auch mal etwas „Ungesundes" tun.
10. Milch ist gesund, **aber/weil/denn** viele Menschen vertragen keine Milch.

nach **10**

7 **Kellner oder Gast?**

Wer sagt was? Schreiben Sie (K) oder (G).

1. Ist dieser Tisch noch frei? ____
2. Für mich einen Apfelsaft, bitte. ____
3. Haben Sie schon gewählt? ____
4. Zahlen, bitte. ____
5. Haben Sie noch einen Wunsch? ____
6. Ist in der Wurst auch Schweinefleisch? ____
7. Darf die Suppe auch etwas schärfer sein? ____
8. Sie können statt Nudeln auch Kartoffeln haben. ____
9. Kann man den Salat auch als Vorspeise bekommen? ____
10. Zusammen oder getrennt? ____

Die Wortschatz-Hitparade

Nomen

das Baguette, -s _____

das Bier, -e _____

das Doppelte *Sg.* _____

das Drittel, – _____

die Erholung *Sg.* _____

das Fast Food *Sg.* _____

das Fett, -e _____

das Fleisch *Sg.* _____

die Flüssigkeit, -en _____

der Fruchtsaft, ”-e _____

das Gasthaus, ”-er _____

das Gericht, -e _____

die Gewohnheit, -en _____

das Gewürz, -e _____

die Imbissbude, -n _____

die Kalorie, -n _____

der/das Ketchup, -s _____

das Lieblingsessen, – _____

die Limonade, -n _____

das Lokal, -e _____

der Magen, ”– _____

die Mayonnaise, -n _____

die Nachspeise, -n _____

der Ober, – _____

die Pommes *Pl.* _____

der Rotwein, -e _____

das Sandwich, -s _____

die Spezialität, -en _____

das Trinkgeld, -er _____

das Übergewicht *Sg.* _____

die Ursache, -n _____

das Vitamin, -e _____

die Wahrheit, -en _____

der Witz, -e _____

die Wurst, ”-e _____

das Würstchen, – _____

Verben

enthalten _____

sich entschließen (für/zu) _____

erwarten _____

festhalten (an) _____

sich gut/schlecht fühlen _____

guttun _____

probieren _____

weitermachen _____

Adjektive

alkoholisch _____

durchschnittlich _____

fett _____

hungrig _____

lecker _____

leer _____

mild _____

roh _____

satt _____

scharf _____

salzig _____

vegetarisch _____

Andere Wörter

kaum _____

prost _____

zum Wohl _____

8 **Das Gegenteil steht in der Hitparade.**
 a **Wie heißt es?**

1. mit Fleisch ⇔ _____
2. fettlos ⇔ _____
3. gekocht ⇔ _____
4. hungrig ⇔ _____

5. mild ⇔ _____
6. voll ⇔ _____
7. alkoholfrei ⇔ _____
8. schmeckt nicht ⇔ _____

 b **Welche Adjektive kennen Sie zum Thema „Essen"? Notieren Sie.**

heiß – kalt, groß – _____

_____

_____

 c **Wortfelder – Sammeln Sie Wörter aus der Hitparade zu den Wörtern** *fett* **und** *trinken.*

fett: _____

_____

trinken: _____

_____

9 **Wichtige Sätze und Ausdrücke – Schreiben Sie in Ihrer Sprache.**

Bei uns isst man viel Reis und Bohnen. _____

Ich finde es wichtig, gesund zu essen. _____

Kannst du mir das Rezept geben? _____

Mir schmeckt das sehr gut / nicht so gut. _____

Wie lange ist die Milch haltbar? _____

Muss ich das in den Kühlschrank stellen? _____

Ich empfehle Ihnen, weniger Wurst zu essen. _____

Geh doch regelmäßig schwimmen. Das tut dir gut. _____

10 **Wichtige Wörter und Sätze für Sie – Schreiben Sie.**

Ihre Sprache: _____

Deutsch: _____

11 **Ich über mich**
 Schreiben Sie mindestens drei Sätze.

Wie essen Sie montags bis freitags und wie am Wochenende?
Was gehört für Sie zu einem Festessen?

Politische Institutionen der Bundesrepublik Deutschland:

Bundespräsident/in
(Staatsoberhaupt)

die Bundesregierung
Bundeskanzler/in + Minister/innen =
das Bundeskabinett / die Regierung
(Bundesministerien: Wirtschaft, Finanzen,
Arbeit und Soziales, Gesundheit,
Umwelt, Innen-, Außenministerium …

der Bundestag

der Bundesrat
(die Vertretung der Länder)

Landesregierungen

| das Landesparlament / der Landtag
(Berlin/Bremen/Hamburg: der Senat) |
|---|

Bürgermeister/in / Landrat/-rätin*

Kreisrat/Gemeinderat/Stadtrat …

* in den Bundesländern unterschiedlich

Die eingerahmten Institutionen werden
vom **Volk** gewählt.

nach **4**

1 Wortfeld „Politik"
Ergänzen Sie den Text. 🔊 ↓

Die Bundesrepublik Deutschland

Die Bundesrepublik Deutschland ist ein Bundesstaat

mit 16 _____ . Das deutsche Parlament

heißt _____ . Alle vier Jahre wählen die

Bürger/innen ihre _____ , die

sie dann vier Jahre in Berlin vertreten. Jedes Bundesland

hat ein eigenes _____ , den Land-

tag. Wenn man 18 Jahre alt ist und einen deutschen

Pass hat, darf man _____ . Meistens

bilden zwei Parteien die _____ ,

weil eine allein nicht die _____

im Parlament hat. Die anderen Parteien bilden

dann die Opposition. Das Parlament wählt

den _____

_____ und diese/r wählt dann seine/ihre Minister/innen

aus. Das Staatsoberhaupt heißt _____ . Er/Sie muss

alle _____ unterschreiben, aber er/sie hat nur wenig politische

_____ .

🔊 Abgeordneten • Bundeskanzler / die Bundeskanzlerin • Bundesländern • Bundespräsident/
Bundespräsidentin • Bundestag • Gesetze • Macht • Mehrheit • Parlament • Regierung • wählen

2 Einen Text korrigieren
Im Text sind 13 Fehler: 8x Rechtschreibung, 5x Verbposition. Markieren und korrigieren Sie.

1939:	Deutschland begint den Zweiten Weltkrieg mit dem Angriff auf Polen.
1945:	Deutschland den Zweiten Weltkrieg verliert.
1949–1989:	Es gibt zwei deutsche Stahten, die DDR und die BRD.
1955:	Mit dem Wirtschaftswunder komen die „Gastarbeiter" in die BRD.
1961:	Die Mauer die Stadt Berlin teilt. Die Bürger der DDR durfen reisen nicht mehr frai.
1989:	Die deutsch-deutsche Gränze fällt. Deutsche aus Ost und West sich wieder one Kontrolle treffen können.
1990:	Die östlichen Bundesländer sind beigetreten der Bundesrepublik. Der 3. Oktober ist deshalb ein nationaler Faiertag.

nach **8**

3 Vergangenheit

a Regelmäßige Verben – Bilden Sie die Formen im Präsens/Präteritum/Perfekt.

Infinitiv	Präsens	Präteritum	Perfekt
arbeiten	sie arbeitet	sie arbeitete	sie hat gearbeitet
zuhören	sie hört zu	sie hörte zu	sie hat zugehört

~~arbeiten~~ • ~~zuhören~~ • kennenlernen • zeigen • einkaufen • bestellen • sich bedanken • kochen • vorbereiten • benutzen • lachen • schicken • informieren • sich freuen • trainieren • planen • sich ärgern • besuchen • einrichten • erreichen • feiern • heiraten • begrüßen • gratulieren • zerstören • teilen • verreisen • verwenden • wandern

b Unregelmäßige Verben – Ergänzen Sie die Vokale und *sein/haben* beim Perfekt.

anfangen	f_i_ng an	_hat_ angef___ngen		liegen	l___g	_____ gel___gen
anrufen	r___f an	_____ anger___fen		nehmen	n___hm	_____ gen___mmen
bekommen	bek___m	_____ bek___mmen		schlafen	schl___f	_____ geschl___fen
bleiben	bl___b	_ist_ gebl___ben		schreiben	schr___b	_____ geschr___ben
bringen	br___chte	_____ gebr___cht		sehen	s___h	_____ ges___hen
denken	d___chte	_____ ged___cht		sprechen	spr___ch	_____ gespr___chen
essen	___ß	_____ geg___ssen		stehen	st___nd	_____ gest___nden
fahren	f___hr	_____ gef___hren		treffen	tr___f	_____ getr___ffen
fallen	f___l	_____ gef___llen		umsteigen	st___g um	_____ umgest___gen
finden	f___nd	_____ gef___nden		verlieren	verl___r	_____ verl___ren
geben	g___b	_____ geg___ben		verstehen	verst___nd	_____ verst___nden
halten	h___lt	_____ geh___lten		wissen	w___sste	_____ gew___sst
helfen	h___lf	_____ geh___lfen		ziehen	z___g	_____ gez___gen

c Über geschichtliche Ereignisse berichten – Schreiben Sie die Sätze im Präteritum.

1. 1945 ist der Krieg zu Ende.
2. Die Sieger teilen Deutschland in vier Zonen.
3. 1949 entstehen daraus zwei deutsche Staaten.
4. Die Sowjetunion fördert die DDR.
5. Die westlichen Demokratien helfen beim Aufbau der BRD.
6. Viele Menschen fliehen aus der DDR in den Westen.
7. Deshalb baut die DDR-Regierung 1961 in Berlin eine Mauer.
8. Die Bürger der DDR dürfen 18 Jahre nicht mehr in den Westen reisen.
9. 1989 kommt es zu großen Demonstrationen.
10. Im Sommer 1989 öffnet Ungarn seine Grenze.
11. Im November fällt dann die Mauer in Berlin.
12. Am 3. Oktober 1990 treten die fünf neuen Bundesländer der BRD bei.

1. 1945 war der Krieg zu Ende.

4 Eine persönliche Geschichte erzählen

a Ergänzen Sie die Präteritum- und Perfektformen im Brief.

Recife, Brasilien, 21. Dezember 1989

Liebe Inge,

so weit weg von der Heimat _____*konnten*_____ (können) wir kaum glauben, was in den

letzten Wochen bei euch _____ _____ (passieren). Seit August

_____ mich meine Schüler immer wieder _____ (fragen), was in

Deutschland passieren wird. Und ich _____ immer _____ (sagen),

dass viel passieren kann, aber dass die Mauer nicht so schnell fallen wird. Und dann

_____ die Mauer _____ (fallen). Am Tag danach

_____ meine Schüler gleich _____ (sagen): „Und jetzt kommt die

Wiedervereinigung." Ich _____ (können) das nicht glauben und

_____ ihnen _____ (antworten), dass es jetzt wahrscheinlich zwei

demokratische deutsche Staaten geben wird. Für die Brasilianer _____ (sein)

gleich klar, dass die Wiedervereinigung kommen muss. Nur die Deutschen hier

_____ (haben) Probleme, daran zu glauben. Ich bin gespannt, wie das weitergeht.

Liebe Grüße
dein Ludwig

b Verbinden Sie die Sätze mit *als*.

1. Ich war drei Jahre alt. Ich habe ein Dreirad bekommen.
2. Meine Großmutter war 16 Jahre alt. Sie heiratete meinen Großvater.
3. Mein Freund ist zu mir in die Wohnung gezogen. Wir hatten vier Wochen Chaos.
4. Clara kam nach Deutschland. Sie sprach noch kein Wort Deutsch.
5. Marcel war arbeitslos. Er hat viel vor dem Fernseher gesessen.

1. Als ich drei Jahre alt war, habe ich ein Dreirad bekommen.

c Plusquamperfekt – Ergänzen Sie die Verbformen.

1. Nachdem die Menschen das Rad _____ _____ (erfinden),

   _____ (können) sie Wagen bauen.

2. Nachdem James Watt die Dampfmaschine _____ _____ (entwickeln),

   _____ (erfinden) Stevenson die Lokomotive.

3. Ein Auto _____ (können) man erst bauen, nachdem man einen Motor

   _____ _____ (entwickeln).

4. Nachdem die Engländer 1825 die erste Eisenbahnstrecke _____ _____

   (bauen), _____ (geben) es schon wenige Jahre später überall Eisenbahnen.

5. Die Amerikaner _____ (schicken) 1969 den ersten Menschen auf den Mond, nachdem

   1961 ein Russe der erste Mensch im Weltraum _____ _____ (sein).

6. Nachdem Bill Gates das Programm MS-DOS _____ _____ (entwickeln),

   _____ (werden) PCs ein großes Geschäft.

5 Zuerst und danach – Schreiben Sie Nebensätze mit *nachdem*.

1. Marianne Schubert
a) Marianne Schubert machte 1982 das Abitur   sechs Monate nach Spanien / fahren
b) Sie beendete den Sprachkurs   in einem Restaurant / arbeiten
c) Sie lernte dort Spanisch   an einer Dolmetscherschule / sich bewerben
d) Sie studierte dort vier Jahre   das Examen mit „sehr gut" / bestehen
e) Sie bewarb sich bei internationalen Firmen   eine Stelle in der Tourismusindustrie / bekommen
f) Sie arbeitete vier Jahre bei SAP   in die Politik / wechseln

> a) Nachdem Marianne Schubert 1982 das Abitur gemacht hatte, fuhr sie 6 Monate nach Spanien.

2. Klaus Behr
a) Seine Frau bekam eine sehr gut bezahlte Stelle.   Klaus Behr / drei Jahre Hausmann / sein
b) er / immer lange Zeitung / lesen   Er brachte die Kinder in den Kindergarten.
c) Er traf sich mit Freunden im Fitnessstudio.   er / machen / den Haushalt und / einkaufen gehen
d) die Kinder / mittags / abholen   Er kochte das Mittagessen.
e) Die Kinder schliefen.   er / gehen / mit ihnen / zum Spielplatz
f) Die Kinder kamen in die Schule.   er / immer um sechs Uhr / aufstehen / müssen

> a) Nachdem seine Frau eine sehr gut bezahlte Stelle bekommen hatte, war Klaus drei Jahre Hausmann. b) Er las immer lange Zeitung, nachdem ...

nach **11**

6 Europa
Ergänzen Sie die Sätze.

Währung • Europa • Gesetze • Traum • Partner • Kolonialismus • Pass • Studenten • bürokratisch • Geschichte

1. Europa ist der _____ vom besseren Leben, aber auch die Erinnerung an den

   _____ .

2. Wir hoffen, dass _____ stark wird, aber wir

   wollen _____ sein.

3. Manche meinen, dass die Europäische Union zu

   _____ ist.

4. Die europäische _____ ist sehr interessant.

5. Für _____ gibt es viele neue Möglichkeiten

   in der EU.

6. Die gemeinsame _____ ist ein großer Vorteil,

   auch, dass man ohne _____ reisen kann.

7. Die EU macht viele neue _____ , die alle Länder

   akzeptieren müssen.

Europaparlament in Straßburg

Die Wortschatz-Hitparade

Nomen

die Arbeitskraft, "-e _____

die Armee, -n _____

der Beginn *Sg.* _____

die Bürokratie, -n _____

die Demokratie, -n _____

die Diktatur, -en _____

das Erdbeben, – _____

der Flüchtling, -e _____

der Fortschritt, -e _____

die Gegend, -en _____

die Grenze, -n _____

die Heimat *Sg.* _____

die Hoffnung, -en _____

die Industrie, -n _____

die Inflation, -en _____

die Klimakatastrophe, -n _____

die Kraft, "-e _____

der Krieg, -e _____

die Krise, -n _____

der/die Migrant/in, -en/-nen _____

die Monarchie, -n _____

das Negative *Sg.* _____

die Organisation, -en _____

das System, -e _____

die Toleranz *Sg.* _____

der Putsch, -e _____

der Unterschied, -e _____

die Verordnung, -en _____

die Währung, -en _____

die Wirtschaftskrise, -n _____

der Zeitpunkt, -e _____

die Zuwanderung, -en _____

Verben

abschaffen _____

applaudieren _____

auswandern _____

beitreten _____

einführen _____

eintreffen _____

entstehen _____

folgen _____

gründen _____

heimfahren _____

protestieren _____

vereinen _____

verlieren _____

wachsen _____

wählen _____

zerstören _____

Adjektive

entschlossen _____

europäisch _____

gefährlich _____

nachdenklich _____

tolerant _____

unabhängig _____

verantwortlich _____

vereint _____

Andere Wörter

aufwärts _____

anders _____

contra _____

pro _____

7 Ergänzen Sie mit den Wörtern aus der Hitparade.

1. Mit dem Wirtschaftswunder begann auch die _____ nach Deutschland.

2. Deutschland brauchte _____ .

3. Viele _____ blieben in Deutschland.

4. Seit 2002 gibt es in Europa eine neue _____ .

5. Bis heute gibt es große soziale _____ in Ost und West.

8 Wortschatz klären
Was bedeuten diese Wörter und Ausdrücke in Ihrer Sprache? Arbeiten Sie mit dem Wörterbuch.

die Nachkriegszeit _____

die parlamentarische Demokratie _____

die Pressefreiheit _____

die Klimakatastrophe _____

der Zivildienst _____

die Wiedervereinigung _____

die Bürgerrechte _____

9 Wichtige Sätze und Ausdrücke – Schreiben Sie in Ihrer Sprache.

Seit wann ist Deutschland wieder eine Demokratie? _____

Ich bin mir nicht sicher, aber ich glaube … _____

Mein Land war bis … eine Monarchie. _____

Von 1999 bis 2001 gab es einen Krieg. _____

Vor vier Jahren bin ich nach … gekommen. _____

Zuerst habe ich Deutsch gelernt. _____

Dann habe ich eine Ausbildung gemacht, danach … _____

10 Wichtige Wörter und Sätze für Sie – Schreiben Sie.

Ihre Sprache: Deutsch:

_____   _____

_____   _____

_____   _____

_____   _____

_____   _____

11 Ich über mich
Schreiben Sie mindestens drei Sätze.

Welche gesellschaftlichen oder politischen Ereignisse in Ihrer Heimat waren für Sie wichtig?
Beschreiben Sie zwei oder drei Ereignisse.

nach 2

1 Über Beziehungen sprechen
Markieren Sie die Verben und ergänzen Sie dann die Präpositionen.

an • an • an • auf • für • in • über • über • über • um • von • von

1. Peter war drei Jahre Hausmann und hat sich _____ die Kinder gekümmert.

2. Delia denkt gerne _____ ihre Kindheit zurück.

3. Mein Traummann muss sich _____ die gleichen Dinge interessieren wie ich.

4. Vor sieben Jahren hat sich Michael _____ seiner Frau getrennt.

5. In einer guten Partnerschaft unterhält man sich auch _____ die Beziehung.

6. Sie hat sich auf einem Sommerfest _____ ihren Mann verliebt.

7. Anna ist schwanger – jetzt freuen sie und Tim sich _____ ein Leben zu dritt.

8. Hans kann sich nicht _____ die Hausarbeit gewöhnen. Er lässt sich immer bedienen.

9. Beate ärgert sich immer _____ die Schuhe, die im Badezimmer stehen.

10. In den ersten Jahren haben sie sich oft _____ die Hausarbeit gestritten.

11. Maria erinnert sich gern _____ den ersten Abend mit Paul.

12. Die ersten Wochen waren schön, aber dann war sie total enttäuscht _____ ihm.

2 Sprachbausteine
Ordnen Sie 1–10 und A–O einander zu. Fünf Wörter bleiben übrig.

Wann ich meine Frau kennengelernt habe? Das ist schon sehr lange _1_ . Ich war ungefähr drei Jahre alt und meine Frau lag _2_ im Kinderwagen! Wir waren Nachbarn und sind _3_ Kinder eigentlich zusammen aufgewachsen. Mit Giselas Bruder Heinz bin ich in die _4_ Klasse gegangen. Von meiner Seite aus war _5_ Liebe auf den ersten Blick. Ich wollte immer nur Gisela heiraten. Für meine Frau war das _6_ . Sie fand mich nicht sehr attraktiv. Ich war immer nur der Freund _7_ ihrem Bruder Heinz. Sie hatte als junges Mädchen viele Verehrer, aber der Richtige war für sie _8_ dabei. Zum Glück, denn ich wollte sie ja haben. Und dann hat Heinz geheiratet und wir haben 3 Tage und 3 Nächte gefeiert! Und _9_ letzten Hochzeitsabend hat Gisela endlich gemerkt, dass ich der Richtige für sie bin! Heute haben wir vier Kinder und neun Enkelkinder und haben im letzten Jahr _10_ goldene Hochzeit gefeiert.

A ___ HIN	D ___ ALS	G ___ NICHTS	J ___ DURCH	M ___ AM
B ___ ANDERS	E ___ UNSERE	H ___ GLEICHE	K _1_ HER	N ___ ES
C ___ WENN	F ___ VON	I ___ NOCH	L ___ SCHON	O ___ NICHT

3 Liebe
Markieren Sie die Wortgrenzen und schreiben Sie die Sätze.

1. wir|haben|uns|vor|vier|jahren|auf|einem|fest|bei|freunden|kennengelernt.

_____

2. ich|verliebemichoft,aberdashältnichtlange – höchstenszweioderdreimonate.

_____

3. wirsindneunzehnjahreverheiratetundichbinimmernochinmeinenmannverliebt.

_____

4. fürmichistesbesonderswichtig,dassichmichaufmeinenfreundverlassenkann.

_____

5. dasschönsteist,wennmanzusammenaltwerdenkannundeinegroßefamiliehat.

_____

6. manmussauchaufdiekleinigkeitenachten,damiteineliebelangehält.

_____

1. Wir haben uns vor vier Jahren ...

nach **6**

4 Sätze verbinden
Ergänzen Sie die Konjunktionen.

Was hast du heute gekocht?

Nichts, und du?

Als • Als • Als • Bevor • Nachdem • obwohl • Seit • weil • weil • weil • wenn

1. _____ ich Oskar vor vier Jahren kennenlernte, hat mir seine Ordnungsliebe gut gefallen.

2. Heute finde ich es ungemütlich, _____/_____ immer alles aufgeräumt ist.

3. _____ ich dann ausgezogen war, habe ich meine Wohnung zuerst nie aufgeräumt.

4. Aber Ordnung ist manchmal praktisch, _____ man nicht so viel suchen muss.

5. _____/_____ er viele Überstunden machte, machte ich die Hausarbeit fast allein.

6. Er ging einkaufen, _____/_____ er nicht gerne gekocht hat.

7. _____ Oskar noch zu Haus wohnte, hat seine Mutter ihm die Wäsche gemacht.

8. _____ mein neuer Freund Klaus nicht kochen gelernt hat, ziehe ich nicht mit ihm zusammen!

9. _____ ich wieder voll arbeite, komme ich kaum dazu, mal ein Buch zu lesen.

5 **Zweiteilige Konjunktionen**
Ergänzen Sie die Sätze.

weder … noch • nicht nur … sondern auch • sowohl … als auch • entweder … oder

1. Axel hat _____ eine feste Arbeit _____ einen Job. Er lebt von Hartz IV.

2. Maria möchte _____ Karriere machen _____ Kinder bekommen.

   Sie will beides verbinden.

3. Tarek wünscht sich _____ eine reiche Frau, _____ viele

   Kinder. Das ist sein Traum.

4. _____ baut man ein Haus _____ man macht teuren Urlaub.

   Beides zusammen geht meistens nicht.

6 **Eine E-Mail korrigieren**
In dieser E-Mail sind 15 Fehler (10x Rechtschreibung, 5x Verbposition). Markieren Sie die Fehler und korrigieren Sie.

> Liebe Hannelore, lieber Jörg,
>
> jetzt wir schon seit vir Monaten in Nicaragua. Die Zeit so schnell vergeht.
> Wir haben uns gut eingelebt. Langsam haben wir auch alle wichtigen möbel und
> Haushaltsgeräte für unsere Wohnung. Die Kinde fühlen sich sehr wohl im Kinder-
> garten. Sie schon einige Wörter auf Spanisch gelernt haben. Sowol der Kindergar-
> ten als auch die Schule sind gut. Mareike hat schon vile neue Freunde gefunde,
> obwohl sie ist auch oft traurig, wenn sie an die Freundinen zu Hause denkt.
> Das Wetter hier war bisher sehr angenehm. Aber im Sommer soll es dan sehr heis
> und schwül werden. Wenn wir haben die ersten Ferien, wollen wir entweder an die
> Pazifikküste faren oder in die Karibik. Ich hoffe, zu Hause es allen gut geht. Am
> Jahresende kommen wir euch besuchen.
> Ganz liebe Grüße an euch und alle Freunde
> Aljoscha, Mareike, Selda und Lukas

7 **Gegensätze ausdrücken**
Verbinden Sie die Sätze. Beginnen Sie die *kursiven* Sätze mit *während*.

1. *Mein Lieblingsessen ist Kartoffelsuppe.*   Meine Tochter isst am liebsten Spaghetti.
2. Wir fahren dieses Jahr nach Spanien.   *Unsere Nachbarn bleiben zu Hause.*
3. Tina bekommt 10 Euro in der Woche.   *Elke bekommt nur 5 Euro.*
4. Die Nachbarskinder sehen nachmittags fern.   *Wir müssen draußen spielen.*
5. *Sarah macht eine Elektrikerlehre.*   Klaus geht noch weiter zur Schule.
6. Sonja verdient schon Geld.   *Gregor sucht noch einen Job.*
7. Lutz muss noch mit dem Fahrrad fahren.   *Theo darf schon Auto fahren.*
8. *Sie trinkt gerne Bier.*   Er mag am liebsten Rotwein.

1. Während mein Lieblingsessen Kartoffelsuppe ist, isst meine Tochter am liebsten ...
2. Wir fahren dieses Jahr nach Spanien, während ...

nach **9**

8 Elterngeld
Ergänzen Sie die fehlenden Wörter.

Elternteil • Erziehung • Männer • Lebensform • Erziehungsarbeit •
Monate • Beruf • Vätern • Angebot • berufliche • betreut •
möchten • nehmen • aufteilen

Die meisten Menschen in Deutschland wünschen sich eine Familie als _____. Das Elterngeld soll die finanzielle Situation von Familien verbessern und mehr _____ die Möglichkeit geben, sich an der _____ ihrer Kinder aktiv zu beteiligen. Die Frauen können schneller in ihren

_____ zurückkehren. Beide Eltern können 14 Monate frei untereinander _____. Ein _____ kann jedoch höchstens zwölf Monate in Anspruch nehmen. Zwei weitere _____ bekommt der Partner, wenn er in dieser Zeit das Kind _____. Die Politik fördert damit vor allem Paare, die sich die _____ teilen. Immer mehr Väter nehmen das Elternzeit-_____ an, allerdings meistens nur für zwei Monate. Das hat vor allem _____ Gründe. Viele _____ – auch wenn sie es gerne wollten – können die Elternzeit nicht so lange in Anspruch _____, weil das ihren Arbeitsplatz gefährdet. Dieses Risiko _____ die Familien nicht eingehen.

nach **12**

9 Konjunktionen

a Ergänzen Sie die Sätze mit *bis* oder *bevor*.

1. Kannst du bitte die Wäsche aufhängen, _____ du einkaufen gehst?

2. _____ ich die Wäsche aufhänge, stelle ich noch den Kuchen in den Ofen.

3. Hans bleibt zu Hause, _____ seine Tochter in den Kindergarten kommt.

4. Es sind nur noch zwei Wochen, _____ Teresas Urlaub beginnt.

5. Hans geht mit seiner Tochter etwas spazieren, _____/_____ seine Frau von der Arbeit kommt.

6. Teresa fuhr immer ohne Helm mit dem Fahrrad zur Arbeit, _____ sie einen Unfall hatte.

b Ergänzen Sie die Konjunktionen.

als • nachdem • wenn • bevor • während

1. _____ das Frühstück fertig ist, rufe ich dich.

2. Ich habe schon geschlafen, _____ du nach Hause kamst.

3. _____ ich den Brief gelesen hatte, habe ich sofort den Vermieter angerufen.

4. Ich möchte noch einige Punkte klären, _____ ich den Vertrag unterschreibe.

5. _____ Erhan für seine Prüfung lernte, waren seine Eltern in Urlaub.

Die Wortschatz-Hitparade

Nomen

die Babypause, -n _____

das Berufsleben *(meist Sg.)* _____

die Eigenschaft, -en _____

das Einzelkind, -er _____

das Elterngeld, -er _____

der Elternteil, -e _____

die Elternzeit, -en _____

die Entscheidung, -en _____

die Enttäuschung, -en _____

der Humor *Sg.* _____

die (Kinder-)Betreuung *Sg.* _____

der Konflikt, -e _____

die Liebenswürdigkeit, -en _____

das Missverständnis, -se _____

der Mutterschutz *Sg.* _____

das Nettoeinkommen, – _____

der/die Psychologe/-gin, -n/-nen _____

die Scheidung, -en _____

der Streit, -e _____

die Trennung, -en _____

die Unpünktlichkeit, -en _____

die Vergesslichkeit, -en _____

der Verstand *Sg.* _____

der Vorwurf, "-e _____

Verben

angreifen _____

anschreien _____

aufbauen _____

aufteilen _____

ausgehen _____

beantragen _____

beschuldigen _____

betreuen _____

empfinden _____

gernhaben _____

halten (für) _____

raten (zu) _____

stören _____

schuld sein (an) _____

(sich) streiten _____

(sich) trennen _____

sich verabreden _____

sich verlassen (auf) _____

sich verlieben (in) _____

verwenden _____

vorschlagen _____

sich wundern (über) _____

Adjektive

geschieden _____

liebenswürdig _____

lustig _____

nervig _____

nervös _____

sauer _____

sympathisch _____

unpünktlich _____

unterschiedlich _____

zuverlässig _____

Andere Wörter

aufeinander _____

höchstens _____

vermutlich _____

weiterhin _____

10 Eine Beziehung von Anfang bis Ende
Schreiben Sie die passenden Wörter aus der Hitparade (und andere Wörter) auf den Zeitpfeil.

kennenlernen → *sich v...*

sympathisch   *die Liebe*   *der Humor*

11 Welche Wörter passen?
Ergänzen Sie Nomen, Verb und/oder Adjektiv.

Nomen	Verb	Adjektiv
der Antrag	*beantragen*	
		unpünktlich
der Streit		
	sich entscheiden	
die Liebenswürdigkeit		
die Zuverlässigkeit		

12 Wichtige Sätze und Ausdrücke – Schreiben Sie in Ihrer Sprache.

Mich ärgert/stört es, wenn … _____

Ich habe das Gefühl, dass … _____

Es tut mir weh, dass/wenn … _____

Ich möchte, dass … _____

Ich fände es gut, wenn … _____

Was hältst du davon, wenn …? _____

Mich überrascht, dass … _____

Es ist interessant, dass … _____

13 Wichtige Wörter und Sätze für Sie – Schreiben Sie.

Ihre Sprache: Deutsch:

_____   _____

_____   _____

_____   _____

_____   _____

14 Ich über mich
Schreiben Sie mindestens drei Sätze.

Partner, Familie und Freunde: Welche Menschen sind für Sie wichtig und warum?

30 Krankenhaus

nach 3

1 Krankenbericht
Markieren Sie die Wortgrenzen und schreiben Sie den Text.

ich|bin|letzte|woche|die|treppehinuntergefallen.jetzttutmirmeinfußwehundichkan nnichtrichtiglaufen.ichwarnichtsicher,obichmirdenfußgebrochenhabe.imkrankenhaushatderarztmichunters uchtunddasbeingeröntgt.indenerstentagenkonnteichmichnurlangsambewegenundmusstedasbeinoftaufdenstuhll legen.eigentlichwollenwiramnächstenwochenendeeinefahrradtourmachen,aberdasgehtbestimmtni chtvielleichtgeheichdannmitmeinertochterzumfußballplatz.abernuralszuschauerin.

> *Ich bin letzte Woche die Treppe …*

2 Sätze verbinden
Welche Konjunktion passt? Schreiben Sie die Nebensätze.

bevor • dass • ob • ~~nachdem~~ • weil • wenn • wenn • wenn

1. *Hans Perich / den Notarzt / anrufen*, hat er für seine Frau die Tasche gepackt.
   Nachdem Hans Perich den Notarzt angerufen hatte, hat er ...

2. Frau Baumann ist gestern zum Arzt gegangen, *so oft Kopfschmerzen / haben / sie.*
   _____

3. *Ihre Versichertenkarte / Sie / vergessen*, müssen Sie ein bestimmtes Formular unterschreiben.
   _____

4. Frau Ehrlich muss eine Woche im Krankenhaus bleiben, *ihr Kind / sie / bekommen / haben.*
   _____

5. Herbert Meyer möchte nicht, *ihn / sein Chef / besuchen / im Krankenhaus.*
   _____

6. *Maria / aus dem Krankenhaus / kommen*, werden wir ein großes Fest machen.
   _____

7. Erhan hatte einen Arbeitsunfall. Er hat seine Frau angerufen, *er / ins Krankenhaus / gehen.*
   _____

8. Der Rettungsdienst fragt am Telefon, *es / geben / noch mehr Verletzte.*
   _____

nach 5

3 Sprachbausteine
Welche Wörter passen? Kreuzen Sie an.

Paul: Hallo, Doris, hier ist Paul. Ich habe leider eine (1) Nachricht. Ich (2) einen Unfall bei der Arbeit und bin im Krankenhaus.

Doris: Im Krankenhaus? Ist es schlimm? Hast du Schmerzen? Was ist (3)?

Paul: Keine Sorge, mir geht es so weit ganz gut. Ein Schrank ist (4) auf die Beine gefallen. Ich kann nicht richtig laufen. Ich brauche unbedingt meine Versichertenkarte. Kannst du (5) mir bringen?

Doris: Na klar, ich komme sofort. Was soll ich denn noch mitbringen?

Paul: Die Kulturtasche (6) dem Waschzeug, meinen Rasierapparat und (7) nicht den Bademantel!

Doris: Soll ich dein Handy mitbringen?

Paul: Nein, das ist hier verboten. Aber (8) du ins Krankenhaus kommst, kannst du mir (9) der Aufnahme eine Karte für den Fernseher mitbringen.

Doris: Wann kann ich dich besuchen? Gibt es (10) Zeiten?

Paul: Nein, du darfst immer kommen.

1. [a] schlecht [b] schlechter [c] schlechte
2. [a] habe [b] hatte [c] hätte
3. [a] passiert [b] passierte [c] passieren
4. [a] mich [b] mir [c] mein
5. [a] ihn [b] es [c] sie
6. [a] mit [b] in [c] von
7. [a] vergiss [b] vergessen [c] vergesst
8. [a] damit [b] wenn [c] während
9. [a] mit [b] gegen [c] von
10. [a] bestimmt [b] bestimmte [c] bestimmten

4 Fragesätze
a W-Fragen – Schreiben Sie Fragen zu den *kursiv* markierten Elementen.

1. *Am Wochenende* dürfen Sie nach Hause.
2. Die Visite ist *zwischen 10.00 und 11.30 Uhr*.
3. Der Stationsarzt ist *in Zimmer 132*.
4. *Die Praktikantin* verteilt die Medikamente.
5. Sie können *mit der Ärztin* sprechen.
6. Die Telefonnummer ist *1443562*.
7. Sie brauchen *zum Fernsehen* eine „Fernsehkarte".
8. Das ist *die Chefärztin*.

1. Wann darf ich nach Hause? 2. Von wann ...

b Schreiben Sie die indirekten Fragen.

1. Haben Sie Schmerzen, Herr Schiller?   Dr. Maaß möchte wissen, ...
2. Wann ist der Unfall genau passiert?   Der Sanitäter fragt, ...
3. Darf ich meine Frau anrufen?   Paul Schiller fragt, ...
4. Welche Medikamente nehmen Sie?   Dr. Maaß fragt, ...
5. Rauchen Sie und trinken Sie oft Alkohol?   Er möchte auch wissen, ...
6. Wann kann ich dich besuchen?   Frau Schiller fragt, ... sie ihren Mann ...
7. Gibt es feste Besuchszeiten?   Sie möchte auch wissen, ...
8. Wie lange werde ich arbeitsunfähig sein?   Paul Schiller erkundigt sich, ...
9. Muss mein Mann operiert werden?   Frau Schiller fragt den Arzt, ... ihr ...

1. Dr. Maaß möchte wissen, ob Herr Schiller Schmerzen hat.

5 Adjektivendungen
Wiederholung – Ergänzen Sie die Adjektive.

1. Ich möchte mit dem neu____ Stationsarzt sprechen, der vorhin bei mir war.

2. Schwester Anna hat die aktuell____ Medikamentenliste.

3. Bitte vergiss nicht, mir ein spannend____ Buch und die neu____ Kopfhörer mitzubringen.

4. Bring bitte den blau____ und den grün____ Schlafanzug mit.

5. Die warm____ Hausschuhe brauche ich hier nicht, aber der rot____ Bademantel ist wichtig.

6. Nimm die schmutzig____ Wäsche heute bitte mit. Kannst du mir frisch____ Strümpfe mitbringen?

7. Gibt es am Kiosk interessant____ Zeitschriften?

8. Meine Zimmernachbarin hat eine schwer____ Krankheit. Sie muss noch ein____ Woche hierbleiben.

9. Wenn du mir die neu____ Zeitung mitbringst, denk bitte auch an die schwarz____ Lesebrille.

10. Dr. Maaß ist ein richtig nett____ Arzt, aber Schwester Maria ist eine unsympathisch____ Person.

nach 9

6 Berufe im Krankenhaus
a Ergänzen Sie den Text.

Viele Frauen in meiner Familie waren Hebammen. Ich komme aus dem Iran u____ habe dort über 15 Ja____ ____ als Hebamme gearbeitet. Er____ ____ in einer Kleinstadt u____ ____ später auf dem La____ ____. Das war eine se____ ____ harte Arbeit. Urlaub h____ ____ es nie gegeben. Me____ ____ ____ Mutter war auch Heb____ ____ ____ in unserem Dorf u____ ____ sie hat dort je____ ____ ____ Kind „auf die We____ ____ gebracht". Sie bekam v____ ____ den Familien oft ke____ ____ Geld, sondern Lebensmittel. Dag____ ____ ____ ____ sieht mein Heb-ammenalltag hi____ ____ ganz anders aus. I____ ____ habe Urlaub und ei____ ____ geregelte Arbeitszeit. Das gef____ ____ ____ ____ mir hier. Auch d____ ____ fortschrittliche medizinische Versorgung finde ich g____ ____. Aber es gibt au____ ____ Nachteile. Ich muss im Schich____ ____ ____ ____ ____ ____ ____ arbeiten und das pa____ ____ ____ überhaupt nicht zu mei____ ____ ____ Arbeit, bei der i____ ____ Mut-ter und Kind über d____ ____ ganze Geburt begleiten möc____ ____ ____. Man hat auch wenig Kontakt zu den Müttern und zu den Familien. Das finde ich schade.

b Wiederholung – Arztbesuch. Ergänzen Sie. Es gibt zum Teil mehrere Möglichkeiten.

1. Nehmen Sie regelmäßig _____ ?

2. Brauchen Sie e_____ _____ ?

3. D_____ _____ bekommen Sie an der Rezeption.

4. Wir haben erst in 3 Wochen wieder freie _____ .

5. Wie oft muss ich d_____ _____ nehmen?

6. Bitte geben Sie mir Ihre _____ .

7. Ich schreibe Ihnen e_____ _____ zum HNO-Arzt.

Rezept
Termine
Versichertenkarte
Medikamente
Tabletten
Überweisung
Krankmeldung

7 Relativsätze

a Was passt zusammen? Ergänzen Sie die Relativpronomen und ordnen Sie die Relativsätze zu.

1. Eine Versichertenkarte ist eine Karte, _____ .

2. Das Problem, _____ , hat sich erledigt.

3. Wie heißt der Roman, _____ ?

4. Die Mitarbeiterin, _____ , hat heute frei.

5. Morgen treffe ich eine Freundin, _____ .

6. Der Test, _____ , wird sicher nicht so schwer.

7. Hast du die E-Mail, _____ , gelesen?

8. Wie heißt der alte Film, _____ ?

9. Das Stones-Konzert, _____ , findet nicht statt.

10. Wem gehören die Schuhe, _____ ?

a) mit _____ Sie gestern gesprochen haben

b) _____ ich dir gestern geschickt habe

c) in _____ Marlene Dietrich eine Tänzerin spielt

d) von _____ ich zehn Jahre nichts gehört habe.

e) _____ zeigt, welche Krankenversicherung man hat

f) über _____ du dich geärgert hast

g) von _____ du gestern erzählt hast

h) _____ wir nächste Woche schreiben

i) _____ im Flur stehen

j) auf _____ wir uns so lange gefreut haben.

b Soziale Probleme – Schreiben Sie die Relativsätze.

1. Viele Schwestern, SIE ARBEITEN IN KRANKENHÄUSERN, haben schlechte Arbeitsbedingungen.
   Viele Schwestern, die in Krankenhäusern arbeiten, haben schlechte Arbeitsbedingungen.

2. Ein junger Arzt, ER ARBEITET IN EINEM KRANKENHAUS, verdient relativ wenig.

   _____

3. Der Versicherungsschutz, DIE KRANKENKASSEN BIETEN IHN AN, ist oft nicht ausreichend.

   _____

4. Die Gesundheitsreform, DER STAAT WILL MIT IHR GELD SPAREN, schadet den Patienten.

   _____

5. Die Probleme, MANCHE POLITIKER DISKUTIEREN ÜBER SIE, sind nicht immer die der Menschen.

   _____

6. Armut von Kindern ist ein Problem, MAN SPRICHT ZU WENIG DARÜBER.

   _____

7. Alte Menschen, SIE HABEN WENIG RENTE, können sich oft nur das Notwendigste kaufen.

   _____

8. Junge Leute, VIELE VON IHNEN BEKOMMEN KEINE ARBEIT, haben kaum Zukunftschancen.

   _____

9. Frauen, SIE SIND SEHR QUALIFIZIERT, haben schlechtere Karrierechancen als Männer.

   _____

10. Menschen, SIE MÜSSEN VIELE JAHRE NACHTS ARBEITEN, haben oft gesundheitliche Probleme.

    _____

Die Wortschatz-Hitparade

Nomen

die Allergie, -n _____	die Nachtschwester, -n _____
die Aufnahme, -n _____	die Narkose, -n _____
der Bademantel, "- _____	der Notarzt, "-e / die Notärztin, "-nen_____
der Befund, -e _____	die Notaufnahme, -n _____
die Behandlung, -en _____	der Notruf, -e _____
das Beruhigungsmittel, – _____	die Operation, -en _____
die Bescheinigung, -en _____	der/die Patient/in, -en/-nen _____
die Besuchszeit, -en_____	der Rasierer, – _____
das Blut *Sg.* _____	der Rettungsdienst, -e _____
der Blutdruck *Sg.* _____	der Säugling, -e _____
die Diagnose, -n _____	die Schlaftablette, -n _____
die Einweisung, -en _____	der Schmerz, -en _____
die Entbindung, -en _____	die Untersuchung, -en_____
der Gips, -e _____	die Verletzung, -en _____
die Hebamme, -n _____	die Versichertenkarte, -n _____
der Impfpass, "-e _____	die Zahnbürste, -n _____
der Kulturbeutel, – _____	die Zahncreme, -s _____

Verben

(sich) aufregen _____	erwarten _____
aushalten _____	impfen (gegen) _____
begleiten _____	(sich) krankmelden _____
behandeln _____	messen _____
(sich) bewegen _____	operieren _____
sich einigen (mit/über/auf) _____	schwanger sein _____
einnehmen _____	untersuchen _____
entlassen _____	(sich) verletzen _____
(sich) entspannen _____	wehtun _____

Adjektive

allergisch _____	komisch _____
ansprechbar _____	schwindelig _____
arbeitsunfähig _____	ständig _____
blass _____	unglaublich _____
dauernd _____	verletzt _____
hektisch _____	zusätzlich _____

8 Kreuzworträtsel

¹B	**E**					

²S ... **E**

³S ... **E**

⁴O ... **E**

⁵N ... **E**

⁶P ... **E**

⁷V ... **E**

⁸**E** ...

⁹U ... **E**

¹⁰V ... **E**

1 Wenn Sie jemanden im Krankenhaus besuchen wollen, müssen Sie auf die [?] achten. **2** Sie können abends nicht einschlafen. Deshalb nehmen Sie eine [?]. **3** Sie sind gefallen und Ihr Bein tut weh. Sie haben [?]. **4** Sie haben starke Bauchschmerzen. Vielleicht muss der Arzt Sie [?]. **5** Sie haben den Rettungsdienst angerufen. Die Sanitäter bringen Sie in die [?]. **6** Sie liegen im Krankenhaus. Sie sind ein [?]. **7** Der Rettungsdienst fragt, welche [?] Herr Schiller hat. Er hat den Arm gebrochen. **8** Die Medikamente müssen Sie regelmäßig [?]. **9** Der Arzt muss eine Diagnose stellen. Er muss eine [?] machen. **10** Das Krankenhaus braucht Ihre [?], damit es mit der Krankenkasse abrechnen kann.

9 Wichtige Sätze und Ausdrücke – Schreiben Sie in Ihrer Sprache.

Wie lange muss ich im Krankenhaus bleiben? _____

Zahlt meine Krankenkasse die Behandlung? _____

Muss ich auch etwas bezahlen? _____

Ich nehme regelmäßig Medikamente. _____

Ich habe eine Allergie gegen … _____

Wie heißt die Krankheit? _____

Ich möchte meine Familie benachrichtigen. _____

Wie lange werde ich arbeitsunfähig sein? _____

10 Wichtige Wörter und Sätze für Sie – Schreiben Sie.

Ihre Sprache: _____

Deutsch: _____

11 Ich über mich
Schreiben Sie mindestens drei Sätze.

Was tun Sie für Ihre Gesundheit? Was könnten Sie ohne Probleme besser machen?

31 Bewegung

nach 3

1 Sportfragen
Welche Antworten passen?

1. Warum trägst du einen Helm?
2. Wo hast du deine Sportschuhe vergessen?
3. Warum warst du gestern nicht im Training?
4. Wann hat Hannes mit dem Training angefangen?
5. Wie viele Vereine spielen in der Ersten Fußballbundesliga?
6. Wann warst du das letzte Mal schwimmen?
7. Findest du Fußball interessant?
8. Wie lange spielst du schon Tennis?

____ a) Ungefähr seit drei Jahren.
____ b) Vor einer Stunde.
____ c) Ich glaube, 18.
____ d) Wahrscheinlich in der Sporthalle.
____ e) Das ist schon lange her. Vor fast einem Jahr.
____ f) Damit mein Kopf geschützt ist.
____ g) Weil ich krank war.
____ h) Nein, ich bin Volleyballfan.

nach 6

2 Satzbausteine
Entscheiden Sie, welches Wort (A–O) in die Lücken (1–10) passt.

Susanne Selb treibt gerne Sport! Sie macht alles Mögliche. Oft freut sie _1_ schon den ganzen Tag darauf, dass sie am Abend joggen kann. Dabei vergisst sie schnell, _2_ sie sich bei der Arbeit geärgert hat. Aber am _3_ treibt sie mit Freunden Sport. Im Winter fahren sie oft _4_ in die Berge zum Skifahren, im Sommer oft an einen See, _5_ dort Volleyball zu spielen. Manchmal fährt sie abends Inlineskates. Sie findet, dass Sport Spaß machen _6_ .

Rolf Beetz ist Buchhalter und sitzt _7_ seinem Autounfall _8_ drei Jahren im Rollstuhl. Er spielt in einer Basketballmannschaft. Die Gruppe gibt _9_ Mut. Beim Behindertensport sind alle _10_ , alle sitzen im Rollstuhl. Die Mannschaft trainiert jeden Dienstag und Donnerstag und am Wochenende fährt sie meistens zu einem Wettkampf.

A ___ LIEBSTEN	D ___ AN	G ___ UM	J ___ GLEICH	M ___ JEDEN
B ___ SEIT	E ___ WORÜBER	H ___ VOR	K ___ SICH	N ___ DAVOR
C ___ IHM	F ___ MUSS	I ___ ZUSAMMEN	L ___ ALLE	O ___ FÜR WEN

3 Aussagen zum Sport
Schreiben Sie Sätze.

1. washeißtsporttreiben?ichgehegernspazierenundfahrevielfahrrad.istdassport?
2. sportmachtmirnurspaß,wennichregelmäßigineinemvereintrainierenkann.
3. ichmacheschonimmervielsportinmeinerfreizeitundtreffedabeimeinefreunde.
4. ausgesundheitlichengründenkannichnurganzwenigsportimfitnesscentermachen.

> 1. Was heißt Sport treiben? ...

4 *Wofür, wonach, woran …*
Schreiben Sie die Antworten.

1. Wofür gibst du dein Taschengeld aus? (Schokolade und Kinokarten)
2. Woran denkst du gerade? (mein Freund in Australien)
3. Wonach hast du dich im Reisebüro erkundigt? (ein Flug nach Sidney)
4. Worüber berichtet dieser Artikel? (der neue Film in der „Kamera")
5. Worüber hast du dich geärgert? (das teure Busticket)
6. Worauf freust du dich am meisten? (ein Frühstück im Bett)
7. Wofür interessiert sich dein Freund? (nur Fußball)
8. Worauf musst du dich vorbereiten? (der Grammatiktest)

1. Für Schokolade und Kinokarten.

5 *Dafür, daran …*
Ergänzen Sie.

Interessierst du dich auch für Sport?   Nein, ___*dafür*___ interessiere ich mich nicht!

Hast du dich an das Wetter gewöhnt?   Nein, _____ werde ich mich nie gewöhnen.

Sprichst du gerne über Zukunftspläne?   Nein, _____ spreche ich ungern.

Hast du auf Toms Brief geantwortet?   Nein, _____ habe ich noch nicht geantwortet.

Hast du nach der Rechnung gefragt?   Nein, _____ habe ich nicht gefragt.

Hast du dich um die Wäsche gekümmert? Nein, _____ kümmere ich mich später.

6 **Fragen**
Notieren Sie die passenden Fragewörter zu den unterstrichenen Wörtern.

1. a) Ich habe <u>mit meinem Arzt</u> über meine Figur gesprochen.   *mit wem*
   b) Ich habe mit meinem Arzt <u>über meine Figur</u> gesprochen.   *worüber*

2. a) Er hat <u>mir</u> gesagt, dass ich abnehmen muss. _____
   b) Er hat mir gesagt, dass ich <u>abnehmen</u> muss. _____

3. a) Ich werde <u>täglich</u> Gymnastik machen. _____
   b) Ich werde täglich <u>Gymnastik</u> machen. _____

4. a) Morgen erkundige ich mich <u>nach dem Beitrag</u> vom Sportverein. _____
   b) Morgen erkundige ich mich nach dem Beitrag <u>vom Sportverein</u>. _____

5. a) Ich werde <u>mit meiner Freundin</u> an einer Diätgruppe teilnehmen. _____
   b) Ich werde mit meiner Freundin <u>an einer Diätgruppe</u> teilnehmen. _____

6. a) In Zukunft möchte ich mehr <u>auf mein Gewicht</u> achten. _____
   b) <u>In Zukunft</u> möchte ich mehr auf mein Gewicht achten. _____

was • was • wem • wie oft • wovon • woran • wonach • ~~mit wem~~ • wann • worauf • woran • ~~worüber~~ • mit wem

7 **Traumberuf**
Ergänzen Sie den Text.

Ich denke mir, dass jeder einen Traum hat. Mein Traum
w___ ___ es eben, a___ ___ meinem Hobby mei___ ___ ___ Beruf zu mac___ ___ ___ . Das hatte i___ ___ mir schon a___ ___
Kind vorgenommen. U___ ___ mein Hobby w___ ___ Sport. Ich
intere___ ___ ___ ___ ___ ___ mich fast n___ ___ für Sport,
f___ ___ verschiedene Sportarten. Da___ ___ ___ habe ich
mi___ ___ für Sport entsc___ ___ ___ ___ ___ ___. Kein Mensch
wi___ ___ als Sportler geb___ ___ ___ ___, auch wenn
m___ ___ von der gebo___ ___ ___ ___ ___ Schwimmerin oder
d___ ___ geborenen Skifahrer spr___ ___ ___ ___. Das ist
Qua___ ___ ___ ___. Und es i___ ___ auch Quatsch, da___ ___
man alles erre___ ___ ___ ___ ___ kann, wenn m___ ___ nur
will. I___ ___ habe die Erfa___ ___ ___ ___ ___ gemacht, dass
m___ ___ Erfolg ni___ ___ ___ planen kann, oft muss man
spontan entscheiden. Das habe ich mir gut gemerkt.

8 **Reflexiv oder nicht reflexiv?**
Schreiben Sie die Sätze.

1. in der Kneipe / ich / gestern / meine Freundin / treffen
   Gestern habe ich meine Freundin in der Kneipe getroffen.

2. anmelden / du / zur Prüfung / ?
   Hast du dich

3. zur Party / ich / heute Abend / den neuen Pullover / anziehen

4. ich / Deutsch / verstehen / gut / jetzt schon

5. wir / vor dem Kino / nächsten Sonntag / treffen

6. wollen du / für das Fest / anziehen / schick / ?

7. ihren / Frau Blix / beim Sportverein / ihren Sohn / anmelden

8. wir / seit drei Jahren / sehr gut / verheiratet sein / und / verstehen uns

9 Reflexivpronomen
Ergänzen Sie.

1. Ich kann ___*mir*___ nicht vorstellen, jeden Morgen Gymnastik zu machen.

2. Bitte duscht _____ nach dem Sport gut ab, obwohl ihr _____ nicht sehr angestrengt habt.

3. Viele Schüler können _____ kaum noch schnell bewegen, weil sie keinen Sport machen.

4. Ihr müsst _____ mehr anstrengen, wenn ihr beim Turnier eine Chance haben wollt.

5. Wenn du das Spiel gewinnst, darfst du _____ etwas wünschen.

6. Nächste Woche haben wir ein schweres Spiel, wir müssen _____ darauf gut vorbereiten.

7. Kannst du _____ noch an unseren alten Trainer erinnern? Der hat uns immer gut motiviert.

8. Im Sportunterricht habe ich _____ nie wohlgefühlt.

nach **12**

10 *Damit* oder *um ... zu?*
Schreiben Sie Sätze wie im Beispiel.

1. a) Paul geht mittwochs immer zum Sport, *um fit zu bleiben.* _____
   (Er möchte fit bleiben.)
   b) Paul geht mittwochs zum Sport, *damit seine Frau ihre Freundinnen einladen kann.* _____
   (Seine Frau kann ihre Freundinnen einladen.)

2. a) Theo bügelt gerne vor dem Fernseher, _____
   (Er entspannt sich.)
   b) Theo bügelt gerne vor dem Fernseher, _____
   (Der Wäschekorb wird endlich leer.)

3. a) Christiane hat immer ihr Handy dabei, _____
   (Sie kann Musik hören.)
   b) Christiane hat immer ihr Handy dabei, _____
   (Ihre Freundinnen können sie immer anrufen.)

4. a) Lutz sitzt auch am Wochenende am Schreibtisch, _____
   (Er möchte keine E-Mails verpassen.)
   b) Lutz sitzt auch am Wochenende am Schreibtisch, _____
   (Die kommende Woche wird ein voller Erfolg.)

5. a) Ralf arbeitet viel, _____
   (Er macht einmal im Jahr eine Fernreise.)
   b) Ralf arbeitet viel, _____
   (Das Bankkonto wächst.)

Die Wortschatz-Hitparade

Nomen

die Autobahn, -en	der Radweg, -e
der Autofahrer, –	der Schläger, –
der Ball, "-e	der Sieg, -e
der/die Behinderte, -n	der Ski, -er
die Disziplin *(hier Sg.)*	die Spielregel, -n
der Fan, -s	die Sportart, -en
die Freundschaft, -en	der Sportler, –
die Fortsetzung, -en	das Stadion, Stadien
der Helm, -e	das Stipendium, Stipendien
der Manager, –	der Stress *Sg.*
die Mannschaft, -en	die Tendenz, -en
der Masseur, -e	der Trainer, –
der Misserfolg, -e	die Umgebung, -en
der Radfahrer, –	der Wettkampf, "-e

Verben

analysieren	picknicken
ausbauen	reiten
benutzen	teilnehmen (an + D)
erledigen	trainieren
enttäuscht sein (von)	unternehmen
genießen	vermeiden
hassen	sich vornehmen
joggen	vorspielen
kombinieren	wandern
laufen	zufrieden sein (mit)

Adjektive

anstrengend	erfolgreich
blöd	stolz
egoistisch	zufrieden

Andere Wörter

dauernd	meistens
fast	natürlich
ganz	ungefähr

11 Ergänzen Sie die Sätze mit Verben, Adjektiven oder anderen Wörtern aus der Hitparade in der richtigen Form.

1. Wir müssen genau _____ , warum wir das Spiel verloren haben.

2. Morgens _____ ich immer eine Stunde im Wald. Danach dusche ich lange.

3. Ein _____ Fußballverein braucht heute viel Geld für teure Spieler.

4. Das hast du super gemacht! Das ganze Dorf ist _____ auf dich.

5 Ich liebe Fußball, aber meine Freundin _____ ihn, leider.

6. Wenn du Erfolg haben willst, musst du _____ viel trainieren.

7. Vor _____ drei oder vier Jahren habe ich aufgehört, Sport zu machen.

8. Er hat das Spiel _____ gewonnen. Es fehlte ihm ein einziger Punkt.

12 Wichtige Sätze und Ausdrücke – Schreiben Sie in Ihrer Sprache.

Machst du viel Sport? _____

Sport interessiert mich, aber ich mache keinen Sport. _____

Welche Sportart gefällt dir? _____

Bist du in einem Sportverein? _____

Es ist schade, dass ich nicht gut schwimmen kann. _____

Ich habe Probleme mit meinem Rücken. _____

Ich habe mich entschlossen, mehr Sport zu machen. _____

Ich habe mir vorgenommen, mehr Fahrrad zu fahren. _____

Ich will mehr tun, um gesund zu bleiben. _____

Ich freue mich darauf, dass ich bald Ferien habe. _____

13 Wichtige Wörter und Sätze für Sie – Schreiben Sie.

Ihre Sprache: Deutsch:

_____   _____

_____   _____

_____   _____

_____   _____

_____   _____

14 Ich über mich
Schreiben Sie mindestens drei Sätze.

Treiben Sie regelmäßig Sport? Welcher Sport gefällt Ihnen? Was gefällt Ihnen dabei besonders?

nach **3**

1 Wie kann man Geld sparen?
Schreiben Sie Sätze.

1. sich die Zeitung mit den Nachbarn teilen

   a) Wenn man sich *die Zeitung* _____

   mit den Nachbarn teilt. _____

   b) Im letzten Jahr habe *ich mir* _____

   die Zeitung ... _____

2. einen Einkaufszettel schreiben und nichts kaufen, was nicht daraufsteht

   a) Wenn man _____

   b) Seit einiger Zeit schreibe _____

3. das Auto in der Garage lassen und mehr Fahrrad fahren

   a) Wenn _____

   b) Ab morgen will ich _____

4. immer nur mit Bargeld bezahlen und ein Haushaltsbuch führen

   a) Wenn _____

   b) Es wäre gut, wenn ich _____

5. sich das Geld einteilen und jede Woche nur eine bestimmte Geldsumme ausgeben

   a) Wenn _____

   b) Ich habe mir vorgenommen, _____

nach **5**

2 Familienbeziehungen
Wer ist das? Schreiben Sie die Sätze mit Genitiv und ergänzen Sie die Verwandtschafts-
bezeichnungen. 📖↓

1. Das ist der Vater von meiner Mutter: 5. Das ist die Tochter von meiner Schwester:
2. Das ist der Sohn von meinem Bruder: 6. Das ist die Mutter von meinem Mann:
3. Das sind die Eltern von meinem Mann: 7. Das ist die Frau von meinem Bruder:
4. Das ist die Schwester von meinem Vater: 8. Das sind die Kinder von meiner Tochter:

> *1. Das ist der Vater meiner Mutter: mein Großvater.*

📖 Nichte • Schwiegereltern • Enkelkinder • Schwiegermutter • Großvater • Schwägerin • Tante • Neffe

3 **Artikel und Adjektive im Genitiv**
Ergänzen Sie die Endungen.

1. Die Informationen d_____ regional_____ Verbraucherzentralen sind sehr gut.

2. Die Reparatur e_____ alt_____ Fernsehers ist meistens zu teuer.

3. Die Verkäuferin in d_____ neu_____ Kinderabteilung hat uns gut beraten.

4. Warum steht das Auto unser_____ Nachbarn immer vor unserer Garage?

5. 2004 war das Jahr mein_____ größt_____ persönlich_____ Erfolge.

6. Die Versprechungen jed_____ neu_____ Regierung sind sehr groß.

7. Die Freundinnen mein_____ Tochter wollen eine Überraschungsparty machen.

8. Robert wird Ayşe heiraten. Er ist dann der Mann ein_____ attraktiv_____ und intelligent_____ Frau.

4 *Trotz* **oder** *wegen*

a Welche Präposition passt? Markieren Sie.

1. Trotz/Wegen der hohen Kosten verschicken deutsche Jugendliche täglich Millionen von SMS.
2. Trotz/Wegen seiner Grippe fährt Tarek nächste Woche nicht nach Marokko.
3. Trotz/Wegen der Prüfung kann Kaleb heute nicht mit in die Disco kommen.
4. Trotz/Wegen intensiver Vorbereitung haben einige die Prüfung nicht bestanden.
5. Trotz/Wegen schwerer Unwetter wurde die Autobahn A 5 bei Mannheim gesperrt.
6. Trotz/Wegen der Warnungen der Verbraucherzentralen kaufen viele Menschen im Internet ein.
7. Trotz/Wegen einer Veranstaltung ist die Leipziger Innenstadt heute für Autos gesperrt.
8. Trotz/Wegen des gesetzlichen Verbots telefonieren immer noch Autofahrer mit dem Handy am Ohr.

b Schreiben Sie 1–5 mit *obwohl* **oder** *weil***.**

1. Obwohl die Kosten hoch sind, ...
2. Weil er ...

nach **8**

5 **Nomen und Verben**
Welche Verben passen nicht? Markieren Sie.

1. ein Gespräch: buchstabieren – beginnen – beenden – sprechen – führen
2. eine Beschwerde: formulieren – aufstellen – erklären – schreiben – ablehnen
3. eine Ware zurücknehmen – erhalten – benutzen – umtauschen – anrufen
4. einen Vertrag: machen – kündigen – führen – unterschreiben – abschließen
5. einen Kassenbon: suchen – kündigen – zeigen – verlieren – bekommen
6. einen Kündigungsbrief: schreiben – bekommen – abschicken – formulieren – abonnieren
7. die Rechnungsnummer: bezahlen – notieren – angeben – suchen – aufschreiben
8. die Verbraucherzentrale: anrufen – beantworten – aufsuchen – um Hilfe bitten

6 Telefongespräch
Ergänzen Sie den Text. 🔊 ↓

● Cyberpark.de, mein Name ist Christina Reiß, was kann ich für Sie t_____?

○ Ich habe ein P_____.

● Wie kann ich Ihnen h_____? Möchten Sie etwas b_____ oder haben Sie eine R_____?

○ Er funktioniert nicht.

● Wer f_____ nicht?

○ Ja, der C_____. Ich hab doch den C_____ gekauft und jetzt geht er nicht.

● Darf ich zuerst mal I_____ N_____ haben.

○ Oti.

● Wie bitte? Können Sie das bitte b_____?

○ Xaver Oti. XAVER und dann OTI.

● Können Sie mir Ihre K_____ sagen?

○ Welche K_____?

● Sie finden sie auf der R_____ oben rechts.

○ Auf welcher _____?

● Sie müssen mit dem Gerät doch eine R_____ bekommen haben. Sie ist immer auf der V_____ mit der Adresse aufgeklebt.

○ Ach, die muss dann noch drin sein.

● Herr Oti, ich schlage Ihnen vor, dass sie zunächst die Rechnung s_____, und wenn Sie sie gefunden haben, dann rufen Sie mich wieder an. Ohne die I_____ auf der Rechnung kann ich Ihnen nicht w_____.

○ Gut, ich rufe dann gleich noch mal an.

● V_____ D_____, Herr Oti. Auf Wiederhören.

Reklamation • Ihren Namen • Rechnung • Rechnung • Rechnung • Information • buchstabieren • Vielen Dank

Verpackung • weiterhelfen • tun • Kundennummer • Kundennummer • Problem • suchen • bestellen • funktioniert

Computer • Computer • helfen

7 Ein Beschwerdebrief

Lesen Sie den Brief und entscheiden Sie, welches Wort (a, b oder c) jeweils in die Lücken 1–10 passt.

Peter Lössack • Holzmarkt 12 • 27283 Verden • Tel.: 04230 678554 • p.loessack@gmz.de

An cyberpark@.de
– Abteilung: Reklamationen –
Postfach 401123
24211 Wahlstedt

22.05.2011

Bestellung vom 22.04.2011 – Kundennummer: 123654 – Rechnungsnummer: 25678/2005

Sehr (1) Damen und Herren,
vor vier Wochen habe ich bei Ihnen einen (2) Computer der Marke Mitisushu gekauft. Darüber hinaus umfasste die Bestellung (3) Bildschirm, einen Scanner und einen Drucker. Laut Werbung musste (4) die einzelnen Geräte nur verbinden und sollte dann sofort damit arbeiten können. Das habe ich (5), aber leider ohne Erfolg. Zuerst versuchte ich, den Computer (6) starten, aber der Bildschirm blieb dunkel. Nach einigen Stunden ist es dann einem Freund von (7) gelungen, den Rechner in Betrieb zu nehmen. Nun schloss ich den Drucker an. Das führte allerdings wieder zu einem Absturz (8) Systems. Nur der Scanner war problemlos anzuschließen. Da ich aber weiterhin Probleme mit dem ganzen System habe, möchte ich Ihnen nun alle Komponenten zurückgeben. Bitte informieren Sie mich (9), was ich tun muss, um Ihnen die Ware zurückzusenden.

(10) freundlichen Grüßen
Peter Lössack

1. [a] geehrte	3. [a] ein	5. [a] versucht	7. [a] mir	9. [a] darauf
[b] geehrter	[b] einen	[b] versuchen	[b] mich	[b] daran
[c] geehrtes	[c] eine	[c] versuchte	[c] ihm	[c] darüber
2. [a] neues	4. [a] sie	6. [a] zum	8. [a] dem	10. [a] Mit
[b] neu	[b] du	[b] zu	[b] das	[b] Aus
[c] neuen	[c] man	[c] zur	[c] des	[c] Nach

nach **9**

8 Pronomen als Ergänzungen: Akkusativ und Dativ
Schreiben Sie die Sätze wie im Beispiel.

Vor einer Prüfung
1. Tom zeigt *Birsen den Übungstext.*
2. Birsen liest *Tom den Text* vor.
3. Kannst du *Birsen das Perfekt* erklären?
4. Ich verkaufe *Hans mein Fahrrad.*
5. Herr Kruse gibt *den Teilnehmern die Texte.*
6. Können Sie *den Teilnehmern das Ergebnis* morgen sagen?

Beim Geburtstagsfest
1. Marion schreibt *ihrer Freundin eine Einladung.*
2. Ihr Freund zeigt *den Gästen die Garderobe.*
3. Klaus schenkt *Marion einen Kuchen.*
4. Marion zeigt *ihren Gästen das Kuchenbüfett.*
5. Sie stellt *ihrem Freund ihre Freundinnen* vor.
6. Sie merkt, dass *ihr Freund ihrer Freundin* gefällt.

1. Tom zeigt ihn ihr.

Die Wortschatz-Hitparade

Nomen

das Abo, -s _____

die Beschwerde, -n _____

das Einschreiben, – _____

die Garantie, -n _____

der/die Geschäftsführer/in, –/-nen _____

der Händler, – _____

der Kassenbon, -s _____

der Kredit, -e _____

die Kündigung, -en _____

der Kündigungsbrief, -e _____

die Kundennummer, -n _____

die Rechnungsnummer, -n _____

die Reklamation, -en _____

die Reparatur, -en _____

die Rückgabe, -n *(meist Sg.)* _____

der/die Sachbearbeiter/ in, –/-nen _____

die Scherbe, -n _____

die Stellung, -en _____

die Taste, -n _____

die Telefonrechnung, -en _____

der Umtausch, -e *(meist Sg.)* _____

der Verbraucher, – _____

die Ware, -n _____

die Zufriedenheit *Sg.* _____

Verben

ablehnen _____

abbuchen _____

abonnieren _____

ausschließen _____

bemerken _____

sich beschweren _____

erstatten _____

feststellen _____

kontrollieren _____

kündigen _____

sich (etwas) leisten _____

reklamieren _____

sparen _____

überprüfen _____

umtauschen _____

verlangen _____

verwechseln _____

sich wenden (an + A) _____

zurückgeben _____

zurücknehmen _____

Adjektive

fröhlich _____

nebensächlich _____

normal _____

nützlich _____

nutzlos _____

stressig _____

technisch _____

zuständig _____

Andere Wörter

auch wenn _____

außer (+ D) _____

normalerweise _____

trotz (+ G) _____

9 **Welches Nomen aus der Hitparade ist gemeint?**

1. Ein Brief, bei dem der Empfänger unterschreibt, dass er ihn bekommen hat: _____

2. Ein Brief, mit dem ich sage, dass ich z. B. eine Zeitschrift nicht länger abonnieren will: _____

3. Z. B. die Leiterin einer Filiale eines Supermarkts: _____

4. Eine Zusage, die besagt, dass z. B. ein Computer ein Zeit lang kostenlos repariert wird: _____

5. Die Nummer auf einem Zettel, der zeigt, was man gekauft hat und wie viel man dafür bezahlt hat: _____

10 **Notieren Sie für diese Verben aus der Hitparade die Formen wie im Beispiel.**

ausschließen • feststellen • umtauschen • sich wenden an (+ A) • zurückgeben • zurücknehmen

ich schließe aus – sie schließt aus – sie schloss aus – sie hat ausgeschlossen

11 **Wichtige Sätze und Ausdrücke – Schreiben Sie in Ihrer Sprache.**

Ich möchte das Gerät zurückbringen. _____

Wie lange ist die Garantiezeit? _____

Ich möchte den Geschäftsführer sprechen. _____

Können Sie mich mit ihm verbinden? _____

Kann ich die Hose umtauschen? _____

Wie teuer ist die Reparatur? _____

Hier ist der Kassenbon. _____

Ich habe den Kassenbon verloren. _____

12 **Wichtige Wörter und Sätze für Sie – Schreiben Sie.**

Ihre Sprache:

Deutsch:

_____

_____

_____

_____

13 **Ich über mich**
Schreiben Sie mindestens drei Sätze.

Wo gehen Sie gerne einkaufen und mit wem? Was kaufen Sie gerne ein?
Wann ist Einkaufen für Sie Stress? Was tun Sie, um diesen Stress zu vermeiden?

nach 1

1 Energie und Geld sparen

a Welche Verben passen? Markieren Sie.

1. Fahrgemeinschaften	organisieren – bilden – sortieren – kaufen
2. Energie	verbrauchen – sparen – verschmutzen – benutzen
3. Abfall	reduzieren – benutzen – wegwerfen – sortieren
4. elektrische Geräte	ausschalten – benutzen – sortieren – anschließen
5. Wasser	verbrauchen – unterstützen – sparen – bezahlen
6. Verpackungen	ernten – trennen – wegwerfen – sparen
7. öffentliche Verkehrsmittel	benutzen – kaufen – besuchen – vermeiden

b Schreiben Sie die Sätze.

1. ich/finde/es gut, wenn man einmal im monat einen autofreien tag hat.

   Ich finde es gut, ... _____

2. in der innenstadt sollten gar keine privatautos mehr fahren, sondern nur noch busse.

   _____

3. warum steht in den zeitungen so wenig über aktive umweltorganisationen?

   _____

4. energie muss noch viel teurer werden, dann sparen die leute viel mehr.

   _____

5. wer abfall produziert oder die umwelt verschmutzt, der soll auch dafür bezahlen.

   _____

2 Wortfeld „Verkehr"

Ergänzen Sie die Nomen und Verben in der richtigen Form.

Strafzettel • Ampel • Führerschein • Parkplatz • Fahrradweg • Fußgänger • Straßenbahn • Bus • Platten

1. Die alte Frau ist auf dem _____ _____ (fahren) und an der _____
   rechts _____ (abbiegen). Dort hat sie einen _____ verletzt, der gerade über
   die Straße _____ (gehen).

2. Weil Frau Merkel in der Innenstadt keinen _____ _____ hat (finden), ist
   sie wieder nach Hause gefahren und hat dann die _____ _____ (nehmen).

3. Meike hat einen _____ bekommen. Sie hatte keinen Parkschein _____
   (ziehen). Heute _____ (wollen) sie mit dem _____ fahren.

4. Gestern ist Mehmet nicht pünktlich zur Arbeit _____ (kommen), weil sein Fahrrad einen _____ hatte. Nächstes Jahr will er den _____ _____ (machen).

nach **3**

3 Sprachbausteine
Welches Wort passt? Kreuzen Sie an.

Meine Familie und ich (1) letzten Sommer im Schwarzwald. Wir sind dieses Jahr nicht mit dem Auto gefahren, (2) mit der Bahn. Das ist klimafreundlich und (3) weniger Stress. Das Ticket haben wir schon (4) Frühjahr gekauft, mit dem Frühbucherrabatt. Das war viel billiger. Unser Gepäck haben wir drei Tage vorher aufgegeben, das wurde direkt (5) unserer Ferienwohnung gebracht. Tja, da (6) unser Urlaub eigentlich schon an. Die Zugfahrt drei Tage später war super, wir hatten nur unsere Rucksäcke dabei mit Spielen, Büchern und Verpflegung und alle (7) die Fahrt genießen. Ich finde, so muss ein Familienurlaub (8): entspannt und umweltfreundlich.

1. a sind
   b waren
   c war

2. a aber
   b und
   c sondern

3. a macht
   b machte
   c machen

4. a in
   b im
   c am

5. a in
   b vor
   c zu

6. a fing
   b fängt
   c fängte

7. a konnte
   b konnten
   c können

8. a werden
   b sein
   c wünschen

4 Sechs Spartipps
Schreiben Sie die Sätze.

1. gehen, / Bevor man / aus der Wohnung / das Licht / ausmachen / sollen / man / .
   Bevor man aus der Wohnung geht, soll man das Licht ausmachen.

2. sparen, / Man kann / runterdreht / wenn man / nachts / die Heizung / viel Geld / .
   _____

3. die Wohnung / lüftet, / Wenn man / man / vorher / sollen / runterdrehen / die Heizung / .
   _____

4. gut / auch / Es ist / für die Gesundheit, / mehr Fahrrad / wenn man / als Auto / fährt / .
   _____

5. auf / Achten Sie / das Energiesiegel, / ein neues Haushaltsgerät / wenn / kaufen / Sie / .
   _____

6. nachts / Schalten Sie / ganz aus / alle Geräte / und / Sie / auf Stand-by / lassen / sie / nicht / .
   _____

5 Futur mit *werden*
Pläne und Versprechungen eines Bürgermeisters – Schreiben Sie Sätze wie im Beispiel.

1. eine Umgehungsstraße / nicht zustimmen / der Bau
2. in den kommenden Jahren / schließen / keine Grundschulen
3. ausbauen / für Jugendliche / der Freizeitbereich
4. in den Kindergärten / haben / mehr Personal
5. der Sprachunterricht / fördern / in den Kindergärten und Schulen
6. in unseren Museen / der Besuch / machen / kostenlos / am Wochenende
7. ausbauen / in unserem Ort / das Fahrradnetz

1. Wir werden dem Bau einer Umgehungsstraße nicht zustimmen. 2. Wir ...

6 Das große Umwelt-Kreuzworträtsel

Waagrecht: 2 Wenn wir die Umwelt schützen wollen, dürfen wir nicht so viel Müll p... **3** Viele Geräte sind heute e... und brauchen viel Strom.
4 Alte Hemden und Hosen kann man dort entsorgen. **10** Öl ist ein wichtiger R... Es ist Unsinn, dass wir ihn in Autos verbrennen. **11** Alles, was wir wegwerfen, landet auf der M... oder es wird verbrannt. **15** Man sollte mit Stofftaschen zum Einkaufen gehen und keine P... nehmen.
16 Wer Müll im Wald wegwirft, handelt v...
17 Wasser, Sonne, Wind und Biomasse sind Energieträger, die e... sind. Im Gegensatz zu Öl und Kohle. **18** Immer mehr Geräte brauchen eine B... für die Stromversorgung. Die B... ist giftig und teuer.

Senkrecht: 1 Zu viele Produkte habe eine bunte V..., die gar nicht notwendig ist und dann nur die Nr. 14 vollmacht. **3** Das soll man zum Einkaufen mitnehmen, damit man keine Nr. 15 braucht.
5 Macht viel Licht und braucht wenig Strom. **6** Nur wer etwas pflanzt, kann auch etwas e...
7 Das verbrauchte Wasser nennt man so. **8** Reste von Nahrungsmitteln nennt man so. Es gibt dafür oft eine eigene Mülltonne oder man kann ihn im Garten verwenden. **9** Hier wirft man alte Zeitungen und Verpackungen rein. **11** Eine Getränkeflasche, die man immer wieder benutzen kann.
12 Alles, was wir wegwerfen. **13** Materialien, die z. B. aus Erdöl produziert werden. Plastik gehört dazu. **14** Da werfen wir Nr. 12 hinein.

7 Passiv – Sagen, was gemacht wird

a Wiederholung – Schreiben Sie die Sätze im Passiv Präsens.

1. Diese Woche / unsere Wohnung / renovieren / .
2. Samstags / die Wohnung / aufräumen und putzen / bei Müllers / .
3. Der Bundespräsident / alle fünf Jahre / wählen / .
4. Der Bundespräsident / nicht vom Volk / wählen / .
5. Alle Patienten / im Krankenhaus / zuerst / gründlich untersuchen / .
6. Patienten mit Übergewicht / auf Diät / setzen / .
7. Vor der Prüfung / lernen, / nach der Prüfung / feiern / !
8. Nach dem Kurs / die Bücher / verkaufen / .

Diese Woche wird ...

b Wiederholung – Schreiben Sie die Sätze im Passiv Präsens bzw. Präteritum.

1. Wegwerfwindeln benutzt man nur einmal und wirft sie dann weg.

   Wegwerfwindeln werden nur einmal benutzt und ...

2. Plastiktüten benutzt man oft nur einmal und dann wirft man sie in die Mülltonne.

3. Stofftaschen benutzt man mehrmals.

4. Man hat letztes Jahr eine Bürgerinitiative für die Begrünung der Stadt organisiert.

5. Man hat letzte Woche unseren Computer repariert.

6. In den letzten Tagen hat man uns auf die Prüfung vorbereitet.

8 Man müsste, könnte, dürfte ...
Ergänzen Sie.

könnte • wäre • müssten • dürfte • sollten

1. Es _____ doch sein, dass es in 30 Jahren keinen Schnee mehr in Deutschland gibt.

2. _____ es möglich, dass jeder nur das einkauft, was er wirklich braucht?

3. Jugendliche bekommen keine Arbeit. Das _____ nicht sein.

4. Die Menschen _____ wieder mehr auf die Straße gehen und protestieren.

5. Die Kindergärten _____ für alle Kinder kostenlos sein.

9 Pro und Kontra
Da stimmt was nicht. Markieren Sie die Fehler und korrigieren Sie sie.

1. Das ist viel Unsinn!
2. Ich bin davor absolut einverstanden.
3. Da sehe ich ganz anders.
4. Ich stimme das zu.
5. Das ist auch meiner Meinung.
6. Meine Meinung nach ...
7. Du stimmt.
8. Ich bin genau sicher.
9. Du hast nichts recht.
10. Ich halte das sehr richtig.

Das ist Unsinn! Das ist doch Unsinn!

Die Wortschatz-Hitparade

Nomen

der Abfall, "-e _____   das Klima *Sg.* _____

das Abgas, -e _____   der Kompost *Sg.* _____

das Altpapier *Sg.* _____   der Kunststoff, -e _____

die Energie, -n _____   das Metall, -e _____

die Energiesparlampe, -n _____   der Müll *Sg.* _____

die Entwicklung, -en _____   die Mülltonne, -n _____

die Ernte, -n _____   das Produkt, -e _____

die Geschwindigkeit, -en _____   der Rohstoff, -e _____

das Haushaltsgerät, -e _____   der Sondermüll *Sg.* _____

der Hausmüll *Sg.* _____   der Sperrmüll *Sg.* _____

die Heizung, -en _____   der Transport, -e _____

die Heizkosten *Pl.* _____   der Umweltschutz *Sg.* _____

der Kleidercontainer, – _____   die Verpackung, -en _____

Verben

entsorgen _____   schützen _____

entstehen _____   sortieren _____

erhalten _____   sparen _____

ernten _____   verbessern _____

heizen _____   verbrauchen _____

(sich) lohnen _____   vermeiden _____

lüften _____   verringern _____

organisieren _____   verursachen _____

pflanzen _____   wegwerfen _____

produzieren _____   sich weigern _____

sammeln _____   zwingen _____

Adjektive

kompostierbar _____   regional _____

konsequent _____   sparsam _____

kritisch _____   umweltschädlich _____

langfristig _____   vernünftig _____

Andere Wörter

dadurch _____   deswegen _____

demnächst _____   mehrmals _____

10 Wortfamilien – Arbeiten Sie mit dem Wörterbuch und ergänzen Sie die Tabelle.

Nomen	Verb	Adjektiv
das Produkt / die Produktion	produzieren	*produktiv*
		sauber
	sparen	
die Verpackung		
		verantwortungslos
	verbrauchen	
		behandelt
die Entwicklung		

11 Ergänzen Sie passende Verben aus der Wortschatz-Hitparade.

1. Müll kann man   *entsorgen, ...* _____ .

2. Heizkosten kann man _____ .

12 Wichtige Sätze und Ausdrücke – Schreiben Sie in Ihrer Sprache.

Wo kann man den Sperrmüll anmelden?   _____

Weiß jemand, ob es hier einen Recyclinghof gibt?   _____

Das finde ich auch.   _____

Das ist auch meine Meinung.   _____

Das halte ich für richtig/falsch.   _____

Das ist doch Unsinn.   _____

Vielleicht hast du recht, aber …   _____

Das größte Problem ist, dass …   _____

Probleme entstehen dadurch, dass …   _____

Es ist verboten, Müll in den Wald zu werfen.   _____

13 Wichtige Wörter und Sätze für Sie – Schreiben Sie.

Ihre Sprache: Deutsch:

_____   _____

_____   _____

_____   _____

_____   _____

14 Ich über mich
Schreiben Sie mindestens drei Sätze.

Wo sparen Sie Energie? Wo könnten Sie ohne Probleme noch mehr Energie sparen?
Woran möchten Sie auf keinen Fall sparen?

nach 3

1 Sprachbausteine

Lesen Sie den folgenden Text und entscheiden Sie, welches Wort (a, b oder c) in die Lücken 1–10 passt.

Sicherlich ist Heimat auch da, wo ich geboren bin, wo ich aufgewachsen bin und meine Kindheit verbracht (1). Für (2) ist das aber nur *eine* Heimat. Wichtig ist, dass (3) sich zu Hause fühlt und zufrieden ist und mit Menschen zusammen ist, (4) man mag und liebt. Es gibt auch Landschaften und Orte, mit (5) ich mich sehr verbunden fühle, oder Menschen, bei denen ich mich sofort zu Hause fühle. Ich wechsle (6) Heimatgefühle je nachdem, wo ich gerade bin. Ich habe zum Beispiel 15 Jahre in Mannheim (7). Da sind meine Kinder geboren und aufgewachsen, Mannheim war (8) Jahre meine Heimat, aber auch Bielefeld und Oldenburg waren einmal meine Heimat. Es (9) Orte, an denen ich mit Menschen, die (10) wichtig sind, gut gelebt habe.

Wasserturm in Mannheim

1. a habe	3. a du	5. a deren	7. a gelebt	9. a war
b hat	b ich	b denen	b leben	b sein
c haben	c man	c dessen	c lebt	c sind
2. a mir	4. a der	6. a mein	8. a viele	10. a sich
b mich	b das	b meine	b viel	b mich
c sich	c die	c meiner	c vielen	c mir

2 Etwas genauer sagen

Schreiben Sie die Relativsätze wie im Beispiel.

1. Bei vielen <u>Städten</u> habe ich Heimatgefühle. (Ich habe in vielen Städten gelebt.)
2. Ich verbinde Heimat mit <u>Erlebnissen</u>. (Die Erlebnisse bedeuten mir etwas.)
3. Heimat, das ist der <u>Garten meines Vaters</u>. (Ich habe als Kind in dem Garten gespielt.)
4. Die <u>Kartoffelsuppe</u> verbinde ich mit Heimat. (Die Kartoffelsuppe hat meine Mutter für mich gekocht.)
5. Heimat ist auch die <u>Sprache</u>. (Ich kann meine Gefühle in der Sprache ausdrücken.)
6. Ich denke vor allem an <u>Menschen</u>, wenn ich an Heimat denke. (Ich liebe diese Menschen.)
7. Vor allem die <u>Landschaft</u> ist für mich mit Heimat verbunden. (Ich habe die Landschaft als Kind erlebt.)
8. Auch der Geruch des <u>Brotes</u> löst bei mir Heimatgefühle aus. (Ich habe das Brot früher oft gegessen.)

1. Bei vielen Städten, in denen ich gelebt habe, habe ich Heimatgefühle.

nach **6**

3 **Interview mit Nikola Lainović**
Ergänzen Sie den Text.

gezogen • ihm • zwei • wegen • sie • verheiratet • genommen • kennengelernt • dich • deine • geboren • mich • war • ist • studiert • findest

● Hallo, Nikola. Schön, dass du dir für unser

Interview Zeit _____

hast. Kannst du _____ bitte

kurz vorstellen?

○ Ich heiße Nikola Lainović. Ich bin

in Belgrad, in Jugoslawien,

_____ . Ich bin mit

einer deutschen Frau

_____ und lebe seit

über zehn Jahren als Zeichner in

München.

● Warum hast du _____ alte Heimat verlassen?

○ Das _____ ein Zufall. Mein Vater ist Maler und er

hatte eine Ausstellung in Florenz, in Italien, und ich bin einfach mit _____ nach

Florenz gefahren und dageblieben.

● Dort hast du auch deine Frau _____ ?

○ Ja, wir haben ein Fest in unserem Studio gemacht und da _____ sie auch gekommen.

● Darf ich fragen, was _____ in Florenz gemacht hat?

○ Sie hat Kunstgeschichte _____ und ein Praktikum in Florenz gemacht.

● Und wann seid ihr nach Deutschland _____ ?

○ Das war 1999, glaube ich.

● Du hast die Lehrbücher von Berliner Platz illustriert. Im Kapitel 34 gibt es ein Gedicht.

Wie _____ du es?

○ Ich finde es ganz o. k.

● Hast du eine Lieblingszeile?

○ Ja, ja. Ich habe _____ Lieblingszeilen: „Heimat ist dort, wo ich mich wohlfühle" und

„Gefühle kennen keine Grenzen".

● Deine Aufgabe war ja, eine Zeile des Gedichts zu illustrieren. Warum hast du sie so gezeichnet?

○ … ich habe meine Frau und _____ gezeichnet. Das ist: „Gefühle kennen keine Grenzen".

Ich bin _____ ihr nach Deutschland gekommen …

4 Erste Begegnung
Wiederholung – Ergänzen Sie im Text *daran, darauf, davon ...*

1. Ich erinnere mich noch genau

   _____*daran*_____ , wie ich meine Frau kennen-

   gelernt habe.

2. Ich hatte auch etwas Angst _____ ,

   sie auf dem Fest von Tom anzusprechen.

3. Ich hatte mich _____ erinnert, dass

   sie immer mit Tom getanzt hatte.

4. Dann habe ich mich _____ ent-

   schlossen, sie zu einem Glas Wein einzuladen.

5. Ich habe sie _____ aufmerksam gemacht, dass wir uns schon kennen!

6. Wir haben _____ gesprochen, wo wir uns schon einmal begegnet sind.

7. Dann habe ich sie _____ gebeten, mir ihre Adresse zu geben.

5 Etwas aus der Vergangenheit erzählen
Wiederholung – Schreiben Sie die Sätze im Präteritum.

1. Adelina ist mit 14 nach Deutschland gekommen.
2. Ihre Großmutter hat noch etwas Deutsch gesprochen.
3. Sie sind in den Norden Berlins gezogen.
4. Keine Mitschülerin hat sie zu sich nach Hause eingeladen.
5. 1996 hat es dort noch Straßenschlachten gegeben.
6. Damals sind Jugendhäuser gegründet worden.
7. Adelina hat zunächst Laborassistentin gelernt.
8. Danach hat sie ihr Abitur gemacht und ein Studium begonnen.

1. Adelina kam mit 14 nach Deutschland. 2. Ihre Großmutter ...

6 Konsequenzen
a Wiederholung: *weil* **oder** *obwohl* **– Schreiben Sie die passenden Nebensätze.**

1. Er hat immer wenig Geld. Trotzdem fährt er jedes Jahr in Urlaub.
   Obwohl er immer wenig Geld hat, fährt er jedes Jahr in Urlaub. _____
2. Sie ist krank. Trotzdem fährt sie mit dem Fahrrad zum Arzt.

   _____

3. Ihre Kinder sollen es mal besser haben. Deshalb sind die Eltern emigriert.

   _____

4. Sie hat Psychologie studiert. Trotzdem arbeitet sie heute als Putzfrau.

   _____

5. Kolja möchte sein Deutsch verbessern. Deshalb geht er nach der Arbeit zur Abendschule.

   _____

6. Adelina hat auf dem zweiten Bildungsweg ihr Abitur gemacht. Deshalb konnte sie studieren.

   _____

b *Deshalb/deswegen, trotzdem* – Schreiben Sie die Sätze neu. Machen Sie aus den Nebensätzen Hauptsätze und umgekehrt.

1. Wir können in diesem Jahr nicht wegfahren, **weil** wir die Wohnung renovieren wollen.
2. Er hat schon 100 Bewerbungen geschrieben. **Trotzdem** hat er noch keine Stelle.
3. Familie Schmidt fährt immer auf einen Campingplatz, **weil** ein Hotel zu teuer ist.
4. **Obwohl** sie ein Zimmer mit Bad bestellt haben, haben sie nur ein Zimmer mit Dusche bekommen.
5. Ich esse seit 3 Wochen keine Schokolade mehr. **Trotzdem** nehme ich nicht ab.
6. Viel Kaffee ist schlecht für meinen Magen. **Deshalb** trinke ich jetzt oft Tee.
7. Herr Kunze hat zu Hause eine Katze, **obwohl** er gegen Katzenhaare allergisch ist.

> 1. Wir wollen die Wohnung renovieren. <u>Deshalb</u> können ...
> 2. Obwohl er schon 100 ...

nach **8**

7 Realitäten und Wünsche
Konjunktiv-II-Formen – Schreiben Sie Sätze.

1. Wenn / Lehrer(in) / sein / ich   viele Ausspracheübungen / machen
   Wenn ich Lehrerin wäre, würde ich viele Ausspracheübungen machen.

2. Wenn / kein Auto / haben / ich   immer / mit dem Fahrrad / fahren

3. Wenn / meine Familie / hier / nicht / wohnen   ich / großes Heimweh / haben

4. Wenn / Tarek / besser Deutsch / sprechen   in der Telefonzentrale / arbeiten können

5. Es / schön / sein   wir / wenn / einen warmen Sommer / haben

6. Wenn / nicht so viel / zu tun / haben / ich   ins Kino / gehen / mit euch

7. Es / gut / sein   wenn / wir / zusammen lernen / können

8. Ich / mehr Sport / machen   wenn / mehr Zeit / haben

9. Wenn / in Berlin / wohnen / ich   ich / einkaufen / nur auf Flohmärkten

10. Wenn / das Wörtchen „wenn" / nicht / sein   ich / ein Millionär / sein

Die Wortschatz-Hitparade

Nomen

die Ansicht, -en _____

die Arbeitserlaubnis *Sg.* _____

die Begegnung, -en _____

das Elternhaus, "-er _____

die Existenz, -en _____

die Fremde *Sg.* _____

das Gefühl, -e _____

das Geräusch, -e _____

der Geruch, "-e _____

die Heimat *Sg.* _____

die Hoffnung, -en _____

das Heimweh *Sg.* _____

die Integration *Sg.* _____

die Kindheit *Sg.* _____

das Kennzeichen, – _____

die Migration *Sg.* _____

das Privatleben *Sg.* _____

das Problem, -e _____

die Realität, -en _____

der Sinn, -e _____

der/die Sozialarbeiter/in, –/-nen _____

das Straßenfest, -e _____

die Schwierigkeit, -en _____

das Vaterland, "-er _____

das Vorbild, -er _____

der Zweifel, – _____

Verben

abraten _____

sich ausdenken _____

bedeuten _____

(sich) beschäftigen (mit) _____

fühlen _____

riechen _____

schmecken _____

sehen _____

sich sehnen (nach) _____

spüren _____

stammen _____

tasten _____

verbinden _____

verlassen _____

vermissen _____

wahrnehmen _____

wiederkommen _____

sich wohlfühlen _____

zu Hause sein _____

zurückgehen _____

Adjektive

ähnlich _____

böse _____

interkulturell _____

menschlich _____

traurig _____

typisch _____

Andere Wörter

irgendwann _____

kaum _____

manchmal _____

ungefähr _____

8 **Die fünf Sinne – Ergänzen Sie die Verben.**

1. Ich muss zum Augenarzt, ich kann nicht mehr richtig _____ .

2. Ich habe Probleme mit den Ohren. Ich _____ nicht mehr gut.

3. Das ist so scharf, dass meine Zunge brennt. Da kann man doch nichts _____ .

4. _____ mal, die Wolle ist ganz weich. Das ist Kaschmirwolle.

5. Hier _____ es ja furchtbar. Ist dir das Essen angebrannt?

9 **Wortfeld „Migration" – Welche Wörter aus der Hitparade passen dazu? Machen Sie ein Wörter-netz. Ergänzen Sie Wörter, die für Sie wichtig sind. Arbeiten Sie auch mit dem Wörterbuch.**

die Heimat ⎯⎯⎯⎯⎯⎯⎯⎯⎯⎯ [MIGRATION] ⎯⎯⎯⎯⎯⎯⎯⎯

hoffen / die Hoffnung

10 **Wichtige Sätze und Ausdrücke – Schreiben Sie in Ihrer Sprache.**

Was bedeutet Heimat für dich? _____

Das kann ich dir nicht genau sagen. _____

Es bedeutet ungefähr: „zu Hause sein". _____

Das ist so ähnlich wie „Familie". _____

Es hat etwas mit Gefühlen/Kindheit … zu tun. _____

Für mich ist das ganz anders. _____

Das bezweifle ich. _____

Das kann ich mir nicht vorstellen. _____

11 **Wichtige Wörter und Sätze für Sie – Schreiben Sie.**

Ihre Sprache: Deutsch:

_____   _____

_____   _____

_____   _____

_____   _____

_____   _____

12 **Ich über mich**
Schreiben Sie mindestens drei Sätze.

Erzählen Sie von einer wichtigen Begegnung (Beruf, Familie, Freunde …).

nach 1

1 Thema Arbeit

a In diesem Suchrätsel sind 25 Wörter versteckt: ↓→. Zu 15 davon finden Sie Erklärungen. Notieren Sie die Nomen mit Artikel.

1 Eine Unterhaltung, bei der man sich präsentiert, um eine Arbeitsstelle zu bekommen: V…   2 Die Papiere, die man für eine Bewerbung braucht: B…   3 Man arbeitet nicht für jemanden, sondern für sich selbst (Nomen): S…   4 Diese Karte braucht am Jahresende das Finanzamt: L…   5 Wenn man mehr Geld bekommt: G…   6 Wenn man z. B. nicht jeden Tag in der Woche arbeitet oder nur den halben Tag: T…   7 Arbeitsstunden über den normalen Vertrag hinaus: Ü…   8 Man arbeitet manchmal am Tag und manchmal nachts: S…   9 Er arbeitet für einen Unternehmer und bekommt Lohn/Gehalt: A…   10 Die Bezahlung pro 60 Minuten: S…   11 Ein Teil der Unterlagen für eine Bewerbung, meistens tabellarisch: L…   12 Ein Handwerker braucht diesen Raum: W…   13 Wenn man in einer Firma aufsteigt, macht man eine K…
14 Dokument zur Beurteilung einer Person, Schüler bekommen es jedes Jahr: Z…
15 Gegenteil von „netto": „b…".

S	R	Z	E	U	G	N	I	S	N	C	V	T	K	M	M	F	W	I	C
T	E	Y	C	I	I	L	E	I	N	K	O	M	M	E	N	H	E	W	T
R	R	G	E	N	C	A	I	U	H	G	R	M	G	I	B	M	R	F	W
E	T	R	G	Y	A	R	B	E	I	T	S	A	M	T	I	O	K	C	A
I	T	U	K	Y	C	Ü	B	E	R	S	T	U	N	D	E	N	S	Y	R
K	E	S	C	H	I	C	H	T	D	I	E	N	S	T	Q	J	T	D	B
Z	I	M	F	S	T	U	N	D	E	N	L	O	H	N	Z	D	A	A	E
I	L	O	X	N	K	W	V	R	S	Z	L	I	M	K	S	E	T	K	I
O	Z	V	O	L	O	H	N	S	T	E	U	E	R	K	A	R	T	E	T
B	E	W	E	R	B	U	N	G	S	U	N	T	E	R	L	A	G	E	N
R	I	B	E	S	C	H	Ä	F	T	I	G	U	N	G	L	N	E	N	E
U	T	F	Q	M	R	X	J	H	H	D	S	N	F	P	J	E	I	W	H
T	A	M	E	R	T	P	U	E	V	F	G	E	H	A	L	T	N	Y	M
T	R	B	B	A	R	B	E	I	T	G	E	B	E	R	U	T	K	J	E
O	B	M	D	D	A	R	B	E	I	T	S	Z	E	I	T	O	A	E	R
L	E	B	E	N	S	L	A	U	F	B	P	S	N	O	F	M	U	T	T
K	I	X	T	C	Q	S	A	K	A	R	R	I	E	R	E	L	F	K	H
Z	T	U	S	E	L	B	S	T	S	T	Ä	N	D	I	G	K	X	I	T
T	B	E	R	U	F	S	W	U	N	S	C	H	H	J	L	Y	Z	D	Q
G	E	H	A	L	T	S	E	R	H	Ö	H	U	N	G	J	C	E	C	L

1. das Vorstellungsgespräch

b Arbeitsbedingungen – Was passt zusammen?

1. Giuseppe arbeitet im _____   a) an der frischen Luft.
2. Er hat mit vielen _____   b) Beruf verbinden.
3. Rudolf arbeitet lieber mit _____   c) Büro.
4. Er ist auch gerne _____   d) den Händen.
5. Er ist selbstständig und _____   e) kann sich den Tag selbst einteilen.
6. Sabine arbeitet am _____   f) Menschen Kontakt.
7. Sie möchte Familie und _____   g) liebsten mit Kindern.

nach 5

2 Konjunktion *während*
Schreiben Sie die Sätze wie im Beispiel.

1. Margarete telefoniert. Sie kocht Spaghetti.

   Margarete telefoniert, während sie Spaghetti kocht.

2. Michael hat die Fotos gemacht. Er hat in Köln studiert.

3. Sie dürfen die Software benutzen. Sie besuchen diesen Kurs.

4. Kannst du Musik hören? Du arbeitest?

5. Peter hat sich mit Lisa unterhalten. Er hat auf den Bus gewartet.

3 Vergangenheit
Wiederholung: Perfekt und Präteritum – Schreiben Sie die Sätze.

1. Nena Buz / in Lusaka / Englisch / drei Monate / (unterrichten).
2. Die Lehrer / total nett / die Kinder / und / (sein).
3. Es / Lehrbücher / nicht genug / für die Kinder / (geben).
4. Der Unterricht / gut / (funktionieren), / sehr interessiert / die Kinder / weil / (sein).
5. Am Anfang / große Schwierigkeiten / er / (haben).
6. Sie / viele nette Freunde / (finden).

1. Nena Butz hat drei Monate in Lusaka unterrichtet. / Nena Buz unterrichtete ...

nach 7

4 Sätze verbinden
Markieren Sie die passenden Konjunktionen. Es gibt z. T. mehrere Möglichkeiten.

1. *Nachdem/Bevor/Seit* ich bei meiner neuen Stelle anfange zu arbeiten, mache ich erst mal Urlaub.
2. Meine Kinder sind schon lange wach, *bevor/wenn/während* der Wecker um 6 Uhr 30 klingelt.
3. *Nachdem/Bevor/Während* ich in Rente gegangen war, habe ich angefangen, regelmäßig ins Fitnessstudio zu gehen.
4. *Als/Während/Seit* er Vater geworden war, hat er eine Teilzeitstelle angenommen.
5. *Wenn/Bis/Als* ich nicht weiß, wie hoch die Zuschüsse sind, mache ich mich nicht selbstständig.
6. *Seit/Wenn/Als* sie bei der neuen Firma angefangen hat, habe ich nichts mehr von ihr gehört.
7. *Nachdem/Während/Seit* die Arbeitszeit kürzer geworden ist, hat der Arbeitsstress zugenommen.
8. Wir konnten zweimal im Jahr in Urlaub fahren, *als/wenn/bevor* ich noch gearbeitet habe.
9. *Während/Wenn/Nachdem* ich die Küche aufräume, bringt mein Mann immer die Kinder ins Bett.
10. *Bevor/Seit/Während* er sein Büro in der Wohnung hat, kann er sich seine Zeit besser einteilen.
11. Ich habe meinen Chef nur gesehen, *während/als/wenn* wir das Bewerbungsgespräch hatten.
12. *Nachdem/Als/Seit* ich den Vertrag gelesen hatte, habe ich ihn unterschrieben.

5 Homeoffice
Ein Gespräch – Ergänzen Sie die fehlenden Wörter.

● ... Hier, Anne, schau mal, diese Anzeige. Was hältst
du 1 ?

○ Bürokauffrau gesucht – Homeoffice – 16 Stunden in der
Woche ... Für 2 ? Suchst du 'nen Job?

● Ja, ich überleg's 3 . Das Geld könnten wir
schon 4 . Seit vier Jahren bin ich jetzt nur Mutter
und Hausfrau. Schließlich war ich vorher sieben Jahre
berufstätig.

○ Meinst du nicht, dass die Kinder noch 5 klein sind?
... Du hast doch genug zu tun.

● Ja, das stimmt schon, 6 ich bin auch oft unzufrie-
den, 7 mir die Decke auf den Kopf fällt – immer nur
Kinder und Küche! Und ich möchte den Anschluss im
Beruf nicht 8 .

○ Das 9 ich verstehen, aber wie willst du das organisieren? Du 10 doch ein Arbeitszimmer und so neu
ist dein Computer ja auch nicht.

● Da reicht sicher erst mal der Schreibtisch im Schlaf-
zimmer und den PC stellt ja wohl die Firma;
 11 auch einen zusätzlichen Telefonanschluss.

○ Überleg dir das gut, 16 Stunden regelmäßig ist
 12 wenig und du musst deinen Alltag noch 13
organisieren ...

● ... Mit einem Arbeitsplatz zu Hause bin ich natürlich 14 mehr in der Wohnung. Kontakte zu Kolle-
gen, Gespräche 15 Arbeitsplatz werde ich auch
nicht haben, aber als Wiedereinstieg ist Homeoffice
vielleicht eine gute Chance.

___ A am

___ B verpassen

_1_ C davon

___ D zu

___ E vielleicht

___ F nicht

___ G aber

___ H dich

___ I weil

___ J mehr

___ K brauchst

___ L mir

___ M brauchen

___ N kann

___ O noch

nach **10**

6 Fehlersuche

a Im folgenden Text sind 10 Rechtschreibfehler. Markieren und korrigieren Sie.

Ich habe einfach aus meiner Laidenschaft einen Beruf gemacht. Ich früstücke wahnsinig gerne! Nun bite ich einen „Frühstücksservice" an. Für jede Gelegenheit, fahst jede Gelegenheit. Sie können bei mir zwischen 6 und 12 Uhr ferschiedene Frühstücksmenüs bestelen. Eine halbe Stunde schpäter klingele ich an ihrer Tür und bringe Ihnen ein köstliches Frühstük nach Ihren Wünschen! Das ist mein Service.

b Im folgenden Text stehen fünf Verben falsch. Markieren und korrigieren Sie.

Tja, ich habe angefangen einen Online-Verkauf. Ladenmiete, Öffnungszeiten, Laufkundschaft, das mir zu war kompliziert. An zwei oder drei Tagen in der Woche ich fahre mit meinem Kleinbus zu Haushaltsauflösungen und kaufe alle möglichen gebrauchten Gegenstände. Ich bringe die Sachen in mein Lager und sortiere das Angebot: Tische, Stühle, Besteck, Bücher, Bilder … ich schon fast alles gehabt habe. Der Verkauf dann geht über das Internet, meistens über Auktionen, wie z. B. eBay. Das klappt super.

7 Die Verspätung

Lesen Sie den folgenden Text und entscheiden Sie, welches Wort (a, b oder c) in die Lücken 1–10 passt.

Gestern ging ich wie immer um 7 Uhr 30 zur Arbeit. Das heißt, ich (1) zur Arbeit gehen. Ich brauche normalerweise eine halbe Stunde. Ich fahre nie mit dem Auto. (2) nehme ich die Straßenbahn bis zum Rathausplatz. Dort steige ich in den Bus um und fahre bis (3) Christuskirche. Von dort muss ich dann noch 5 Minuten bis zu meiner Firma laufen. (4) gestern war alles anders. (5) eines Unfalls fuhr die Straßenbahn nicht zum Rathausplatz, (6) zum Bahnhof. Von dort sollte mein Bus fahren. Es kam auch ein Bus, ich stieg ein. (7) der Bus losfuhr, merkte ich, dass es der falsche war. Bei der nächsten Haltestelle stürzte ich wütend aus dem Bus. Ich durfte nicht zu spät kommen, (8) ich eine Besprechung mit meinem Chef hatte. Neue Aufgaben, mehr Geld und so. Ich wollte ein Taxi nehmen, aber es kam kein Taxi. Ich rannte los. Als ich in der Firma ankam, hatte ich 20 Minuten Verspätung. Ich ging ins Sekretariat, (9) mich anzumelden. „Der Chef ist noch nicht da", sagte die Sekretärin und sah mich ratlos an. „Ich weiß auch nicht, was los ist. Er ist sonst nie (10) spät." Da kam er zur Tür rein. Total gestresst sah er aus. „Mein Auto ist kaputt und ich wollte mal die Straßenbahn ausprobieren", keuchte er.

1. a wollte
   b will
   c wollen

2. a Dann
   b Darauf
   c Zuerst

3. a zur
   b zum
   c zu

4. a Weil
   b Aber
   c Denn

5. a Trotz
   b Wegen
   c Obwohl

6. a desto
   b oder
   c sondern

7. a Wenn
   b Als
   c Bis

8. a weil
   b wegen
   c denn

9. a damit
   b deshalb
   c um

10. a als
    b zu
    c mehr

Die Wortschatz-Hitparade

Nomen

das Arbeitsamt, "-er _____

die Arbeitslosigkeit *Sg.* _____

die Behörde, -n _____

die Beratung, -en _____

die Beratungsstelle, -n _____

der/die Chef/in, -s/-nen _____

das Callcenter, – _____

die Erfahrung, -en _____

die Eröffnung, -en _____

die Finanzierung, -en _____

die Firmengründung, -en _____

die Flexibilität *Sg.* _____

die Förderung, -en _____

die Gefahr, -en _____

die Geschäftsidee, -n _____

die Hausfrau, -en _____

die Herzlichkeit *Sg.* _____

das Homeoffice, -s _____

der Kontakt, -e _____

der Kulturschock, -s _____

der Nutzen *Sg.* _____

der Plan, "-e _____

der Praktikumsplatz, "-e _____

die Probezeit, -en _____

das Risiko, Risiken _____

die Schwierigkeit, -en _____

die Selbstständigkeit *Sg.* _____

die Teilzeitarbeit *Sg.* _____

das Unternehmen, – _____

der Verdienst, -e _____

die Versicherung, -en _____

die Vollzeitarbeit *Sg.* _____

Verben

aufpassen _____

begleiten _____

dazuverdienen _____

ernst nehmen _____

fortsetzen _____

handeln _____

Teilzeit arbeiten _____

trennen _____

übernehmen _____

umstellen _____

verdienen _____

(sich) vernetzen _____

Vollzeit arbeiten _____

warnen (vor + D) _____

Adjektive

berufstätig _____

fest angestellt _____

geregelt _____

kompliziert _____

ungestört _____

unzufrieden _____

wertvoll _____

zugewandert _____

Andere Wörter

anfänglich _____

außerdem _____

grundsätzlich _____

hauptsächlich _____

mithilfe _____

teilweise _____

8 Thema „Arbeit": Zusammenfassung – Machen Sie Ihr eigenes „Sprachplakat" mit allem, was Ihnen zu diesem Thema auf Deutsch einfällt.

Arbeit ist das <u>halbe</u> Leben

<u>Berufe in meiner Umgebung</u>

die Lehrerin
Selbstständigkeit
der Busfahrer
...

<u>Tätigkeiten</u>

unterrichten

fahren

<u>Arbeitsformen</u>

Arbeit im Homeoffice
Heimarbeit

<u>Arbeits-bedingungen</u>

Teilzeit

<u>Probleme</u>

Arbeitslosigkeit

<u>Menschen</u>

mein Chef
die Kundin

<u>Ausdrücke/anderes</u>

Ich bin gern ... Verkäuferin
Ich will mehr ... Freizeit!!!

9 Wichtige Sätze und Ausdrücke – Schreiben Sie in Ihrer Sprache.

Kennst du jemanden, der mir helfen kann? _____

Warum rufst du nicht bei der Arbeitsagentur an? _____

Hast du daran gedacht, dass …? _____

Ich würde lieber in einer Firma arbeiten, weil … _____

Ein Vorteil/Nachteil der Arbeit im Homeoffice ist, dass … _____

Es spricht dafür/dagegen, dass … _____

Für mich wäre es ein Vorteil, wenn … _____

10 Wichtige Wörter und Sätze für Sie – Schreiben Sie.

Ihre Sprache:

_____

_____

_____

_____

Deutsch:

_____

_____

_____

_____

11 Ich über mich
Schreiben Sie einen kurzen Text über sich.

Wo arbeiten Sie? Wie arbeiten Sie? Wie/Wo/Was würden Sie gerne arbeiten?

nach 2

1 Lernen
a Was passt zusammen?

1. Man kann bis ins hohe Alter lernen!
2. Meine Lehrerin sagte immer, dass
3. Ich kann nur das lernen,
4. Eine fremde Sprache kann man nicht am Schreibtisch lernen.
5. Manche Menschen lernen gern allein.
6. Am besten ist es, wenn man als Kind eine neue Sprache lernt.
7. Ich war immer schlecht in der Schule,
8. Internet im Klassenzimmer ist gut,

___ a) es keine dummen Fragen gibt, sondern nur dumme Antworten.
___ b) weil mich Bücher nie interessiert haben.
___ c) Aber ich lerne gut in Gruppen und wenn ich etwas Praktisches mit den Händen tun kann.
___ d) aber Computer werden nie die Lehrer ersetzen.
___ e) Meine Großmutter hat mit 66 Jahren ihren Führerschein gemacht.
___ f) Man muss sie hören, riechen und die Menschen erleben, die mit der Sprache leben.
___ g) Da muss man sich gar nicht anstrengen.
___ h) was mich wirklich interessiert.

b Schreiben Sie drei Aussagen zum Thema „Lernen" nach den Beispielen in 1a.

nach 4

2 Partizip 1 und 2 – Schreiben Sie wie im Beispiel.

1. Was ist/sind …?
   a) Frauen, die arbeiten
   b) ein Kind, das lacht
   c) Pullover, die kratzen
   d) ein Student, der liest
   e) Menschen, die warten
   f) ein Mann, der Arbeit sucht
   g) ein Schüler, der isst
   h) ein Fernseher, der läuft

2. Was ist/sind …?
   a) ein Text, den man gelernt hat
   b) eine Hose, die gewaschen ist
   c) ein Hemd, das gebügelt ist
   d) eine Wohnung, die tapeziert ist
   e) ein Fahrrad, das man geliehen hat
   f) eine Jacke, die man vermisst
   g) ein Tisch, der gedeckt ist
   h) Gäste, die eingeladen sind

1a arbeitende Frauen
2a ein gelernter Text

3 Relativprononomen
Wiederholung – Ergänzen Sie die Sätze.

1. ● Wo ist das Buch, _____ ich dir gestern mitgebracht habe?

   ○ Das ist in der Tasche, _____ hinter der Tür hängt.

2. ● Wie heißt der Kollege, für _____ du freitags immer die E-Mails beantwortest?

   ○ Das ist Paul, ein Freund, mit _____ ich schon zur Schule gegangen bin.

3. ● Sind das die Wohnungen, _____ ihr euch heute ansehen wollt?

   ○ Nein, wir haben einen Termin bei den Anzeigen, _____ markiert sind.

4. ● Mit wem hast du gestern im Café gesessen?

   ○ Das waren meine Nachbarn, _____ ich beim Umzug geholfen habe.

4 Partizipien als Adjektive
Ergänzen Sie die Verben in der richtigen Form.

1. Zur Prüfung werde ich ein frisch __*gebügeltes*__ (bügeln) Hemd mit Krawatte anziehen.

2. Schriftliche Texte sind einfach, aber mit den _____ (sprechen) Texten habe ich Probleme.

3. Den _____ (ausfüllen) Antwortbogen legen Sie bitte zu den Testunterlagen.

4. Auf unserem Abschlussfest wird man nur _____ (lachen) Gesichter sehen.

5. Im _____ (kommen) Winter möchte ich endlich mal Ski fahren gehen.

6. Nach meiner _____ (bestehen) Prüfung möchte ich Urlaub machen.

7. In den _____ (vergehen) Jahren habe ich in den Ferien immer lernen müssen.

8. Deutschland hat einen Mangel an _____ (qualifizieren) jungen Leuten.

9. Ein Chinesisch _____ (sprechend) Ingenieur hat sehr gute Chancen.

10. Die Firma „Kurzschluss" sucht einen gut _____ (ausbilden) Fachmann für Elektronik.

11. Am liebsten esse ich frisch _____ (backen) Brot, obwohl das gar nicht so gesund ist.

5 Kochen lernen: ein Kochrezept
a Wiederholung: Imperativ – Schreiben Sie wie im Beispiel.

> # „Himmel und Erde"
>
> - Äpfel schälen.
> - Äpfel in Butter andünsten.
> - Kartoffeln schälen.
> - Kartoffeln 20 Minuten in Salzwasser kochen.
> - Wasser abgießen.
> - Milch und Butter hinzufügen.
> - Kartoffeln und Äpfel zu einem Brei rühren.
> - Mit Muskatnuss und Salz abschmecken.
> - Zwiebeln schneiden.
> - Zwiebeln in Butter rösten.
> - „Himmel und Erde" mit gerösteten Zwiebeln servieren.

Schälen Sie die Äpfel.

b Überlegen Sie: Wie lauten die Sätze, wenn Sie das Rezept einer Freundin erklären?

Schäl die Äpfel.

6 Fehlersuche
Im folgenden Text sind 15 Endungen von Verben und Adjektiven falsch. Markieren und korrigieren Sie.

Ich heißen Jerome und komme aus Frankreich. Ich habe noch nie in einem fremdes Land gelebt. Deshalb ist das Leben in Deutschland für mich wirklich neu. Und zu einem neu Leben gehört eben auch eine neu Sprache. Deshalb mussten ich Deutsch lernen. In der Schule hat ich leider kein Deutsch, sondern Spanisch und Englisch. Am Anfang habe ich mit meiner deutsche Freundin Deutsch gelernen. Dann habe ich einen Intensivkurs besuchen. Ich hatte keine großem Probleme. Die Grammatik habe ich schnell verstandet, das Lernen der Wörter dagegen war schwieriger. Mein Lehrer haben mir dabei geholfen und mir gezeigen, wie man gut mit Lernkarten neue Wörter lernen kann. Lernkarten sind für mich die besten Methode. Ich nehmen sie überallhin mit: in die Straßenbahn, in den Garten oder an den See.

7 *Müssen – nicht brauchen*
Schreiben Sie die Antworten.

1. Musst du für den Test lernen?   Nein, *ich brauche nicht für den Test zu lernen.*
2. Muss ich alle Grammatikregeln können? Nein, _____
3. Müssen wir auch übersetzen?   Nein, _____
4. Musst du dir ein neues Fahrrad kaufen? Nein, *... kein ...* _____
5. Muss Meike heute einkaufen gehen?   Nein, _____
6. Müssen wir die Treppe putzen?   Nein, _____
7. Muss ich mich bedanken?   Nein, _____
8. Muss ich einen Regenschirm mitnehmen? Nein, _____

8 *Lassen*
Wiederholung – Schreiben Sie die Sätze.

1. schreiben / lassen / die Rechnungen / Frau Dr. Petri / von ihrer Sekretärin / .
2. Wann / du / das Fahrrad / lassen / reparieren / ?
3. der Vermieter / die Dusche / reparieren / nicht / lassen / ?
4. Klaus / immer / haben / Zeit, / weil / er / seine Wohnung / putzen / lassen / .
5. du / von deinem Freund / einladen / dich / lassen / nicht / Warum / ins Kino / ?

1. Frau Dr. Petri lässt die Rechnungen von ihrer Sekretärin schreiben.

9 Grammatik A1 bis B1

Lesen Sie die Grammatikbegriffe links und ergänzen Sie die Beispiele rechts.

Imperativsätze

1. S_____ bitte lauter, Olga, ich kann nichts hören!

Verneinung mit *kein*

2. ● Kommst du mit ins Kino?

○ Tut mir leid, aber ich habe k_____ Zeit.

Nebensätze mit *dass*

3. Jennifer: „Ich komme aus Erfurt."

Jennifer sagt, _____ .

Nebensätze mit *weil*

4. Ron: Ich muss lernen.

Ich kann heute nicht kommen, weil _____ .

Personalpronomen: Akkusativ

5. ● Hast du Peter gesehen?

○ Nein, ich habe _____ nicht gesehen.

Reflexivpronomen

6. Pavel freut _____ über die bestandene Prüfung.

Personalpronomen: Dativ

7. Kannst du _____ helfen, Carmen? Ich verstehe das nicht.

Adjektive: Komparativ

8. Ich esse gerne Pizza, aber Spaghetti esse ich _____ .

Adjektive: Superlativ

9. Am _____ esse ich Döner!

Perfekt: Partizip Unregelmäßige Verben

10. In den Ferien bin ich die ganze Zeit zu Hause _____ (bleiben).

Präteritum: Modal-/Hilfsverben

11. Ich _____ (können) nicht zur Party kommen, ich _____ (sein) krank.

Possessivartikel: Dativ

12. ● Wie geht es d_____ Schwester?

○ M_____ Schwester geht es prima!

Präpositionen mit Dativ

13. Nach _____ Unterricht bin ich immer total k. o.

Adjektive vor dem Nomen

14. Wie findest du unseren neu_____ Deutschlehrer?

Verben mit Dativ

15. ● Gehört das Fahrrad _____ ?

○ Nein, das gehört m_____ Bruder.

Relativsätze

16. Der Briefträger, d_____ wir letztes Jahr hatten, war netter!

Indirekte Fragesätze

17. Niemand weiß, w_____ der Film zu Ende ist.

Wechselpräpositionen

18. Gestern habe ich die CD auf d_____ Tisch gelegt und jetzt liegt sie auf d_____ Boden.

Genitiv nach *trotz/wegen*

19. Wegen ein_____ Unfall____ wurde die A 3 gesperrt.

Die Wortschatz-Hitparade

Nomen

der Aufenthalt, -e _____

die Ausrede, -n _____

die Bedeutung, -en _____

die Bemerkung, -en _____

die Bildung *Sg.* _____

der Computerkurs, -e _____

der/die Dozent/in, -en/-nen _____

die Erfüllung *Sg.* _____

die Gastfamilie, -n _____

die Gemeinsamkeit, -en _____

das Klavier, -e _____

die Lernerfahrung, -en _____

die Lernmethode, -n _____

die Mühe, -n _____

die Muttersprache, -n _____

der Orientierungskurs, -e _____

der/die Rentner/in, –/-nen _____

die Schulaufgabe, -n _____

das Schulbuch, "-er _____

die Struktur, -en _____

die Vokabel, -n _____

der Wahnsinn *Sg.*

Verben

(sich) anstrengen _____

anwenden _____

auffrischen _____

ausgleichen _____

sich befinden _____

behalten _____

bereiten _____

sich einmischen (in) _____

(sich) erinnern (an) _____

geschehen _____

kontrollieren _____

nachschlagen _____

nachdenken _____

speichern _____

übersetzen _____

vergessen _____

(sich) verständlich machen _____

verwechseln _____

verwirklichen _____

zusammenstellen _____

Adjektive

abwesend _____

ängstlich _____

neugierig _____

selten _____

stolz _____

regelmäßig _____

unsicher _____

verständlich _____

Andere Wörter

anfangs _____

außer _____

meinetwegen _____

plötzlich _____

sicherlich _____

verdammt _____

zumindest _____

10 Ergänzen Sie die Sätze mit Wörtern aus der Hitparade in der richtigen Form.

1. Kannst du _____ _____ , wann wir den Deutschkurs begonnen haben?

2. Ich muss _____ … ich glaube, das war im vergangenen Juli.

3. Üben allein reicht nicht, man muss die Sprache im Alltag _____ .

4. Hast du alle Dokumente _____ , bevor du den Computer ausgemacht hast?

5. Wenn zwei sich streiten, dann soll man _____ nicht _____ .

6. Ich habe gestern einen Brief meines Onkels aus dem Russischen ins Deutsche

_____ .

7. Für die Prüfung habe ich _____ sehr _____ . Jetzt brauche ich eine Pause!

8. Es ist wichtig, die _____ regelmäßig zu wiederholen.

9. Ich bin _____ auf meinen Computerführerschein.

10. Manchmal musste ich mich mit Händen und Füßen _____ machen.

11. Ich komme jedes Jahr nach Deutschland, um mein Deutsch _____ .

11 Wichtige Sätze und Ausdrücke – Schreiben Sie in Ihrer Sprache.

Ich habe viel von meinen Eltern gelernt. _____

Kochen habe ich erst als Erwachsener gelernt. _____

Wie lernst du am besten? _____

Ich muss mir immer ein Bild machen können. _____

Ich brauche Grammatikregeln zum Lernen. _____

Kannst du mir ein par Tipps geben, wie man …? _____

Es ist sehr wichtig, oft zu wiederholen. _____

Es fällt mir relativ leicht, Wörter zu behalten. _____

Ich bin eher ein Typ, der viel Übung braucht. _____

12 Wichtige Wörter und Sätze für Sie – Schreiben Sie.

Ihre Sprache: Deutsch:

_____   _____

_____   _____

_____   _____

_____   _____

_____   _____

13 Ich über mich
Schreiben Sie mindestens drei Sätze.

Was war Ihre schönste Erfahrung beim Deutschlernen?
Was würden Sie anders machen, wenn Sie noch eine Sprache lernen wollten?

Grammatik im Überblick

Satz

1 Nebensätze mit *obwohl, während, seit, als, bevor, nachdem*

obwohl
nicht erwartete
Konsequenz:
Ich habe ein Zimmer mit Dusche bekommen, **obwohl** ich ein Zimmer mit
Bad (reserviert) (habe).

während
Gleichzeitigkeit: Ich kann keine Musik hören, **während** ich (arbeite).
Kontrast: Um halb sieben schläft Ron noch, **während** Viktor schon (arbeitet).

seit
Zeitpunkt: **Seit** ich eine Ausbildung mache, bin ich viel zufriedener mit mir.
Er hat mich nicht mehr besucht, **seit** er eine neue Freundin hat.

als
Zeitpunkt in der
Vergangenheit
Als ich 2011 nach Deutschland (kam), begann ich sofort einen Deutschkurs.

bevor
A passiert zuerst,
B passiert danach
Nach der Arbeit diskutiert Martin noch lange mit Karin, (Präsens)
bevor er nach Hause geht. (Präsens)

nachdem
Das passierte zuerst, **Nachdem** ich die Prüfung (bestanden) (hatte), (Plusquamperfekt)
das passierte danach. (habe) ich eine Arbeitsstelle (gesucht). (Perfekt)

2 Indirekte Fragesätze

Ich möchte wissen, **ob** in dem Kurs noch Plätze frei (sind).
Ob er heute oder morgen (kommt), hat er nicht gesagt.

Kannst du mir sagen, **wann** der Kurs (beginnt)?
Wer von euch weiß, **wann** die Prüfung (ist)?
Ich weiß nicht, **wie viel** eine Fahrt nach Berlin (kostet).

3 Relativsätze
a Mit Relativpronomen

Hauptsatz 1	Hauptsatz 2
Der Job ist interessant.	Der Job steht heute in der Zeitung.
	Den Job habe ich gefunden.
Der neue Kollege ist sympathisch.	Ich habe dem Kollegen das Büro gezeigt.

Hauptsatz 1	Nebensatz = Relativsatz	Hauptsatz 1
Der Job,	der heute in der Zeitung steht, Relativpronomen **(N)**	ist interessant.
	den ich gefunden habe, Relativpronomen **(A)**	ist interessant.
Der neue Kollege,	dem ich das Büro gezeigt habe, Relativpronomen **(D)**	ist sympathisch.

b Deklination der Relativpronomen

	Maskulinum	Neutrum	Femininum	Plural
Nominativ	der	das	die	die
Akkusativ	den	das	die	die
Dativ	dem	dem	der	**denen**
Genitiv	dessen	dessen	deren	deren

c Relativsätze mit Relativpronomen und Präpositionen

	Hauptsatz	Relativsatz	Hauptsatz
Nominativ	Der Arzt,	der heute auf der Station ist,	ist neu.
Akkusativ		den du heute Morgen gesehen hast,	ist der Stationsarzt.
		für (+ A) den ich jetzt arbeite,	heißt Dr. Sommer.
Dativ		dem du deine Verletzung gezeigt hast,	ist der Chefarzt.
		mit (+ D) dem du gesprochen hast,	ist der Chefarzt.

4 Präpositionalergänzungen und Nebensätze

sich freuen **auf** (+ A)   Wor**auf**?   Ich freue mich da**r**auf, **dass** ich am Abend joggen kann.

Angst haben **vor** (+ D)   Wo**vor**?   Ich habe Angst da**vor**, mich beim Sport **zu** verletzen.

5 Infinitivsätze mit *zu*

Infinitiv + *zu*:   nach bestimmten Verben: Ich **fange an**, kochen **zu lernen**.

nach Verb + Adjektiv: Es **ist wichtig**, kochen **zu lernen**.

nach *haben* + Nomen   Ich **habe Lust**, selbst **zu kochen**.

6 Genitiv als Attribut

Die Garantiezeit   beträgt zwei Jahre.

Die Garantiezeit ← **aller technischen Produkte**   beträgt zwei Jahre.

Die Garantiezeit ← **aller Produkte** ← **unserer Firma**   beträgt drei Jahre.

7 Dativ- und Akkusativergänzung im Satz

Subjekt	Verb	Dativergänzung (Person)	Akkusativergänzung (Sache)
Ich	wünsche	Tim/dir/euch/Ihnen	ein schönes Fest.
Dagmar	schenkt	Mario/ihm	eine DVD.
Alex	schenkt	seiner Freundin/*ihr*	**den Ring.**
Er	schenkt	**ihn**	*ihr.*
		Akkusativergänzung (Sache)	Dativergänzung (Person)

8 Hauptsatz und Nebensatz: Konjunktionen (Überblick)

Warum?	Hassan kauft einen Blumenstrauß, **weil** er zum Essen eingeladen ist.	Grund
Wann?	**Als** er zu Hause war, hat er einen Brief an Aynur geschrieben.	Zeitpunkt
Wann?	**Wenn / Immer wenn** Tim abends zu lange fernsieht, schläft er danach schlecht.	Wiederholung
Wann?	**Bevor** ich ins Bett gehe, lese ich noch etwas.	Ablauf
Wann?	**Während** mein Mann die Küche sauber gemacht hat, habe ich den Kindern vorgelesen.	Gleichzeitigkeit
Wann?	Ich habe Englisch erst gelernt, **nachdem** ich schon Deutsch gelernt hatte.	Ablauf
Bis wann?	Sie wartet, **bis** er wieder nach Haus kommt.	Von jetzt bis Zeitpunkt in der Zukunft
Wozu?	Er beeilt sich, **damit** er nicht zu spät kommt.	Ziel/Zweck
Was?	Es ist wichtig, **dass** man immer weiterlernen kann.	
	Wenn sie nicht bald kommen, (dann) wird das Essen kalt.	Bedingung
	Obwohl ich angerufen habe, ist der Arzt nicht gekommen.	nicht erwartete Konsequenz
Ja/Nein	Ich weiß nicht, **ob** ich morgen Zeit habe.	indirekte Frage
Wann?	Ich weiß nicht, **wann** ich morgen Zeit habe.	indirekte Frage

9 Satzverbindungen: Hauptsatz – Hauptsatz

Hauptsatz			→	Hauptsatz	
Das Fahrrad	(hat) einen Platten,			**deshalb**	(kommt) sie mit dem Bus.
Es	(regnet) seit zwei Stunden,			**trotzdem**	(ist) er mit dem Fahrrad gefahren.
Ich	(fahre) viel Auto,	**aber**		im Dorf	(nehme) ich immer das Fahrrad.
Wir	(haben) zwei Autos	**und**		wir	(haben) auch vier Fahrräder.
Hosni	(ist) ganz nervös,	**denn**		er	(macht) heute eine Prüfung.
Er	(kommt) mit dem Auto	**oder**		er	(nimmt) den Zug.

10 Zweigliedrige Konjunktionen

Rosen und Tulpen

sowohl … als auch
nicht nur … sondern auch

weder … noch

entweder …

oder

positive Aufzählung	Sie wollte einen Strauß **sowohl** aus Rosen **als auch** aus Tulpen.
	Sie mag Blumen einfach gern, **nicht nur** Rosen, **sondern auch** Tulpen.
negative Aufzählung	Im Blumenladen gab es heute **weder** Rosen **noch** Tulpen.
Alternative	Ich mag **entweder** Rosen **oder** Tulpen, ich würde sie nie mischen.

11 Satzverbindungen: Übersicht

Hauptsatz + Adverb + Hauptsatz:	Er hat Grippe, **deshalb** (bleibt) er zu Hause.
Hauptsatz + Konjunktion + Hauptsatz:	Er bleibt zu Hause, **denn** er (hat) Grippe.
Hauptsatz + Konjunktion + Nebensatz:	Er bleibt zu Hause, **weil** er Grippe (hat).
Hauptsatz + Präposition:	**Wegen** einer Grippe (bleibt) er zu Hause.

	Fragewort	Adverb/Konjunktion + Hauptsatz	Konjunktion + Nebensatz	Präposition + Nomen
temporal – Zeitpunkt	Wann?	gestern, zuerst, dann, später, früher, damals …	als	
Ablauf	Wann?		bevor	vor + D
Jetzt → Zeitpunkt in der Zukunft	Bis wann?		bis	bis + Präp.
Ablauf	Wann?		nachdem	nach + D
Dauer	Seit wann?		seit	seit + D
Gleichzeitigkeit	Wann?		während	während + G
Wiederholung	Wann?		wenn	
kausal – Grund	Warum	deshalb, deswegen, darum, denn	weil da	wegen + G
final – Ziel/Zweck	Wozu?		damit um ... zu + Infinitiv	
	Was?		dass	
adversativ – Gegensatz/Einschränkung		aber	während	
konzessiv – nicht erwartete Konsequenz			obwohl, obgleich	trotz + G
konditional – Bedingung			wenn (... dann)	
indirekte Frage (Ja/Nein)			ob	
indirekte Frage (W-Frage)			wann, wer, wo, wie …	

Verb

12 Verben und Verbformen
a Aktiv und Passiv

Aktiv	lernen (regelmäßig)	sprechen (unregelmäßig)
Präsens	ich lerne, er/es/sie lernt	ich spreche, er/es/sie spricht
Präteritum	ich lernte	ich sprach
Perfekt	ich habe gelernt	ich habe gesprochen
Plusquamperfekt	ich hatte gelernt	ich hatte gesprochen
Futur I	ich werde lernen	ich werde sprechen

Aktiv	ankommen (trennbar)	bekommen (nicht trennbar)
Präsens	ich komme an, er/es/sie kommt an	ich bekomme, er/es/sie bekommt
Präteritum	ich kam an	ich bekam
Perfekt	ich bin angekommen	ich habe bekommen
Plusquamperfekt	ich war angekommen	ich hatte bekommen
Futur I	ich werde ankommen	ich werde bekommen

Passiv

Präsens	Der Müll (wird) einmal in der Woche (abgeholt).	*werden* im Präsens + Partizip II
	Die Mülleimer (werden) wöchentlich (geleert).	
Präteritum	Der Müll (wurde) gestern (abgeholt).	*werden* im Präteritum + Partizip II
	Die Mülleimer (wurden) gestern (geleert).	

b Konjunktiv II (Formen)

würde-Form	Wenn ich mehr Zeit hätte, **würde** ich regelmäßig Sport **machen**.
Modalverben	Ich **müsste** unbedingt mehr Sport machen.
	Könntest du mir bitte helfen, mein Fahrrad zu reparieren?
haben	Ich **hätte** richtig Lust, jetzt schwimmen zu gehen, aber es regnet leider.
sein	**Wäre** es nicht eine super Idee, wenn wir morgen eine Wanderung machen würden?

	werden	sein	haben	müssen	können	wollen ⚠
ich	würde	wäre	hätte	müsste	könnte	wollte
du	würdest	wärst	hättest	müsstest	könntest	wolltest
er/es/sie	würde	wäre	hätte	müsste	könnte	wollte
wir	würden	wären	hätten	müssten	könnten	wollten
ihr	würdet	wärt	hättet	müsstet	könntet	wolltet
sie/Sie	würden	wären	hätten	müssten	könnten	wollten

c Partizipien

Partizip I	als Adjektiv:	ein lesen**der** Student
Partizip II	für Perfekt:	Ich habe gefragt …
	für Plusquamperfekt:	Ich hatte gefragt …
	für Passiv:	Ich werde gefragt …
	als Adjektiv:	eine **gelernte** Regel

d Verben mit Präpositionen und Präpositionalergänzung

*sich freuen **auf** + A*	Ich freue mich **auf meinen Sportlehrer**	Person: Auf wen?
	Ich freue mich auf ihn.	
	Ich freue mich **auf den Sportunterricht**.	Sache: Worauf?
	Ich freue mich darauf.	

Angst haben **vor** + D	Ich habe Angst <u>**vor** meinem Sportlehrer</u>	Person: Vor wem?
	Ich habe Angst vor ihm.	
	Ich habe Angst <u>**vor** dem Sportunterricht</u>.	Sache: Wovor?
	Ich habe Angst davor.	

Verben und Ausdrücke mit Präpositionen und Pronominaladverbien

sich freuen auf	wo**r**auf?	da**r**auf	Präposition beginnt mit Vokal (a, e, i, o, u, ü)
sich ärgern über	wo**r**über?	da**r**über	wor...? → dar...
denken an	wo**r**an?	da**r**an	
traurig sein über	wo**r**über?	da**r**über	
enttäuscht sein von	wovon?	davon	Präposition beginnt mit Konsonant
Angst haben	wovor?	davor	wo...? → da...
sich entschließen	wozu?	dazu	
zufrieden sein mit	womit?	damit	

13 Verben mit besonderen Funktionen: *(nicht) brauchen, lassen*
a *brauchen*

brauchen + A

Peter **braucht** neue Schuhe,
aber er **braucht** keinen neuen Mantel.

Frage: *müssen*
Antwort: *nicht brauchen + zu + Infinitiv*

● **Musst** du sonntags auch immer so früh aufstehen?
○ Nein, sonntags **brauche** ich **nicht** früh aufzustehen.

Frage: *sollen*
Antwort: *nicht brauchen + zu + Infinitiv*

Soll ich dir beim Kochen helfen?
Nein, du **brauchst** mir heute nicht **zu** helfen.

b *lassen* + Infinitiv

Ich lasse mir die Haare schneiden.
Ich lasse mir das Essen nicht bringen.

Ich lasse mir von dir nicht sagen, was ich tun muss!
Ich lasse die Kinder heute länger schlafen.

Ich mache das nicht selbst.
Ich hole/mache es mir selbst.

Ich tue, was ich will!
Ich wecke sie nicht schon um 7 Uhr.

Pronomen

14 Personalpronomen und Reflexivpronomen (Übersicht)

Nominativ	ich	du	er	es	sie	wir	ihr	sie/Sie
Akkusativ	mich	dich	ihn	es	sie	uns	euch	sie/Sie
Reflexivpronomen	mich	dich	**sich**	**sich**	**sich**	uns	euch	**sich**
Dativ	mir	dir	ihm	ihm	ihr	uns	euch	ihnen/Ihnen
Reflexivpronomen	mir	dir	**sich**	**sich**	**sich**	uns	euch	**sich**

Reflexivpronomen im Akkusativ	Ich wasche **mich**. Er wäscht **sich**.
Reflexivpronomen im Dativ	Ich wasche **mir** die Hände. Er wäscht **sich** die Hände.

15 Fragewörter und Kasus: *wer, wen, wem* und *was*

Personen

● Wer (N)	ist das?	○ Das ist mein Onkel. / Mein Onkel.
● Wen (A)	magst du am liebsten von deiner Familie?	○ Meinen Onkel.
● Über wen (A)	habt ihr gerade gesprochen?	○ Über unseren Chef.
● Wem (D)	schenkst du etwas zum Geburtstag?	○ Meinen Kindern und Neffen.
● Mit wem (D)	hast du darüber gesprochen?	○ Mit meiner Schwester.

Sachen

● Was	ist das?	○ Eine Katze.
● Was	magst du – frisches Brot?	○ Ja, sehr gern.
● Was	schmeckt dir besser, Döner oder Bratwurst?	○ Beides schmeckt mir.
● Worüber	habt ihr euch unterhalten?	○ Über die letzte Party.
● Wovor	hast du Angst?	○ Vor dem nächsten Test.

16 Pronomen *kein* und Possessivpronomen

Singular	Maskulinum	Neutrum	Femininum
Nominativ:	kein**er**/mein**er**/ dein**er**/… der Füller	kein**s**/mein**s**/ dein**s**/… das Buch	kein**e**/mein**e**/ dein**e**/… die Tasche
	● Ist das dein**er**?	● Ist das unser**s**?	● Ist das seine?
	○ Ja, das ist mein**er**.	○ Ja, das ist euer**s**.	○ Nein, das ist ihr**e**.

17 Indefinita

Personen:	man, jemand, niemand
Sachen	etwas, nichts
Personen/Sachen	alle, viele, einige

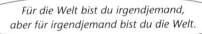

Für die Welt bist du irgendjemand, aber für irgendjemand bist du die Welt.

Deklination von *jemand/niemand* und *alle/viele/einige*:

	nur Singular	nur Plural
Nominativ	jemand, niemand	alle, viele, einige
Akkusativ	jemand(**en**), niemand(**en**)*	alle, viele, einige
Dativ	jemand(**em**), niemand(**em**)*	allen, vielen, einigen

* *Jemand* und *niemand* gebraucht man auch ohne Kasusendungen.

18 Verbindungen mit *es*

Wetter	Es regnet.	Wie lange regnet es schon?
	Es schneit.	Hat es in München geschneit?
	Es ist neblig.	War es heute Morgen sehr neblig?
	Es ist stürmisch.	Wie lange ist es schon so stürmisch?

unpersönliche Ausdrücke	Es ist wichtig/richtig, regelmäßig Pausen zu machen.
	Es tut mir leid, dir nicht helfen zu können.
	Es tut mir leid, dass dir das Buch nicht gefallen hat.
	Es gibt viel zu tun.

persönliches Befinden	● Wie geht es dir? ○ Mir geht es super.
	Es tut weh.
	Ich esse gern. Es schmeckt mir immer!

Adjektive

19 Vergleiche: Komparativ und Superlativ

Regelmäßige Formen

Grundform	Komparativ	Superlativ
schön	schön**er**	**am** schön**sten**

Unregelmäßige Formen

Grundform	Komparativ	Superlativ		Grundform	Komparativ	Superlativ
gut	besser	am besten		teuer	teurer	am teuersten
gern	lieber	am liebsten		dunkel	dunkler	am dunkelsten
viel	mehr	am meisten		hoch	höher	am höchsten
				kalt	kälter	am kältesten

20 Deklination nach unbestimmten Artikeln und Possessivartikeln: *ein, kein, mein, dein ...*

Bernd ist (N)	ein schöner, schlanker Mann.
Ich habe (A)	keinen dunklen Anzug.
Mit (D)	deiner neuen Frisur siehst du zehn Jahre jünger aus.

	Maskulinum	Neutrum	Femininum
Singular	de**r** Anzug	da**s** Hemd	di**e** Brille
N	k/ein neu**er** Anzug	k/ein neu**es** Hemd	k/ein**e** neu**e** Brille
A	k/einen dunkl**en** Anzug	k/ein bunt**es** Hemd	k/ein**e** neu**e** Brille
D	k/einem teur**en** Anzug	k/einem schön**en** Hemd	k/ein**er** neu**en** Brille
G	k/eines teur**en** Anzugs	k/eines schön**en** Hemd(e)**s**	k/ein**er** neu**en** Brille

Plural	di**e** Anzüge/Hemden/Brillen
N	meine neu**en** Anzüge/Hemden/Brillen
A	meine dunkl**en** Anzüge/Hemden/Brillen
D	meinen bunt**en** Anzüge**n**/Hemden/Brillen
G	meiner bunt**en** Anzüge/Hemden/Brillen

Plural ohne Artikel – Adjektivendung wie bei den Artikeln:

N	di**e** Anzüge	Hier sind modisch**e** Anzüge/Hemden/Brillen.
A	di**e** Anzüge	Ich trage immer bunt**e** Anzüge/Hemden/Brillen.
D	de**n** Anzüge**n**	Er träumt von teur**en** Anzüge**n**/Hemden/Brillen.
G	de**r** Anzüge	Er sieht trotz teur**er** Anzüge, Hemden und Brillen immer schlecht aus.

21 Deklination nach den bestimmten Artikeln

	Maskulinum	Neutrum	Femininum
N	der schöne Kopf	das schöne Ohr	die schöne Nase
A	den schön**en** Kopf	das schöne Ohr	die schöne Nase
D	dem schön**en** Kopf	dem schön**en** Ohr	der schön**en** Nase
G	des schön**en** Kopf(e)**s**	des schön**en** Ohr(e)**s**	der schön**en** Nase

Plural	Maskulinum/Neutrum/Femininum
N	die schön**en** Köpfe/Beine/Hände
A	die schön**en** Köpfe/Beine/Hände
D	den schön**en** Köpfe**n**/Beine**n**/Hände**n**
G	der schön**en** Köpfe/Beine/Hände

> **TIPP** Die Adjektivendungen lernt man mit der Zeit! Im Zweifel immer *-en* verwenden.

Präpositionen

22 Präpositionen mit Dativ

Herr **VON NACHSEITZU**
und Frau **AUSBEIMIT**
bleiben mit dem Dativ fit.

23 Präpositionen mit Akkusativ

durch	Man darf mit dem Auto nicht **durch** den Park fahren.
für	Die Bescheinigung brauche ich **für** den Führerschein.
gegen	Man kann nichts **gegen** die Benzinpreise machen.
ohne	Fahren Sie nie **ohne** einen gültigen Fahrschein!
um	Sie können hier **um** diese Zeit immer parken.
um (… herum)	Fahren Sie **um** den Park (**herum**) und dann geradeaus.

24 Präpositionen mit Genitiv: *wegen/trotz*

wegen	**Wegen** des Mannheim-Marathon**s** ist die Innenstadt heute gesperrt.
	Ich musste wegen mein**er** Grippe zum Arzt.
	Ich rufe Sie wegen mein**es** Computers / mein**em*** Computer an.
trotz	**Trotz** de**s** Regen**s** war es ein schöner Urlaub.

* In der Alltagssprache verwendet man *wegen* auch oft mit dem Dativ.

25 Präpositionen mit Akkusativ (*wohin* →) oder Dativ (*wo* •)

Die wichtigsten Präpositionen mit Akkusativ oder Dativ sind:

| an | auf | hinter | in | neben | über | unter | vor | zwischen |

wohin-Verben →

Ich will das Sofa **an die** Wand	stellen.
Du kannst das Buch **neben das** Radio	legen.
Kann ich mich **auf den** Stuhl	setzen?
Wir wollen **in die** Türkei	fliegen.
Der Hund muss **vor die** Tür	gehen.
⚠ Kann ich den Rock **in den** Schrank	<u>hängen</u>?

wo-Verben •

Er hat sein Sofa **an der** Wand	stehen.
Das Buch muss **neben dem** Radio	liegen.
Bleib ruhig **auf dem** Stuhl	sitzen!
Ich möchte **in der** Türkei	leben.
Der Hund bleibt **vor der** Tür	stehen.
Ich habe alle Kleider **im** Schrank	<u>hängen</u>.

26 Verben mit Präpositionen

Akkusativ	sich informieren über	Habt ihr euch über den Inhalt der Prüfung informiert?
	danken für	Frau Wohlfahrt, wir danken Ihnen für Ihre gute Arbeit.
	warten auf	Jetzt warten wir schon seit einer Woche auf unser Testergebnis.
Dativ	profitieren von	Tom hat vom Deutschunterricht viel profitiert.
	gratulieren zu	Wir gratulieren euch zu eurem tollen Testergebnis.
	erzählen von	Ralf hat mir von seiner Zeit in der DDR erzählt.

> **TIPP**   Verben mit Präpositionen immer zusammen lernen.

Im Lehr- und Arbeitsbuch finden Sie im Anhang eine Liste der wichtigsten Verben mit Präpositionen aus *Berliner Platz NEU*.

Wortbildung

27 Adjektive aus Nomen oder Verben

| **-ig** | kräftig, neugierig, großzügig | **-lich** | sportlich, natürlich, täglich |
| **-isch** | modisch, kaufmännisch, italienisch | **-bar** | zählbar, essbar, lesbar, tragbar |

28 Nomen aus Adjektiven + *-heit/-keit*

schön	die Schöheit	möglich	die Möglichkeit
krank	die Krankheit	gemütlich	die Gemütlichkeit
gesund	die Gesundheit	fähig	die Fähigkeit

29 Nomen aus Verben + *-ung*

packen	die Pack**ung**	rechnen	die Rechn**ung**
entschuldigen	die Entschuldig**ung**	anmelden	die Anmeld**ung**
wohnen	die Wohn**ung**	einladen	die Einlad**ung**

> **TIPP**   Nomen mit den Endungen *-heit, -keit, -ung, -ion, -schaft, -tur* sind meist Femininum.

30 Trennbare und nicht trennbare Verben

	trennbare Verben	nicht trennbare Verben
Infinitiv	**ein**kaufen	**er**zählen
Präsens	Sie kauft **ein**.	Sie **er**zählt.
Perfekt	Sie hat **ein**gekauft.	Sie hat **er**zählt.
Frage	Kauft sie **ein**?	**Er**zählt sie?
Imperativ	Kauf **ein**!	**Er**zähl!

Trennbar sind Verben meistens, wenn man das Präfix auch ohne das Verb benutzen kann:

ab-fahren	**aus**-steigen	**fest**-stellen	**vor**-lesen	**zusammen**-leben
an-kommen	**ein**-kaufen	**mit**-kommen	**um**-steigen	**zurück**-kommen
auf-stehen	**fern**-sehen	**teil**-nehmen	**weg**-nehmen	**zu**-schließen

Verben mit diesen Präfixen kann man nie trennen:

beginnen • **emp**fangen • **ge**fallen • **ver**stehen • **ent**schuldigen • **er**klären • **miss**fallen • **zer**stören

31 un- + Adjektiv = das Gegenteil

				Aber z. B.:			
bekannt	←	→	unbekannt				
freundlich	←	→	unfreundlich	schön	←	→	hässlich
interessant	←	→	uninteressant	reich	←	→	arm
möglich	←	→	unmöglich				
regelmäßig	←	→	unregelmäßig				
wichtig	←	→	unwichtig				
zufrieden	←	→	unzufrieden				

TIPP Adjektive immer mit ihrem Gegenteil lernen.

Kapitel 25

1

Mann/Frau	Frau	Mann
die Großeltern	die Großmutter	der Großvater
die Eltern	die Mutter	der Vater
die Geschwister	die Schwester	der Bruder
die Kinder	die Tochter	der Sohn
die Enkel	die Enkelin	der Enkel
	die Tante	der Onkel
	die Cousine	der Cousin
	die Schwägerin	der Schwager
die Schwieger-eltern	die Schwieger-mutter	der Schwieger-vater

2
- ● Sag mal, Mama, kannst du nächsten Mittwoch kommen? Ich muss unbedingt in die Stadt und mir Schuhe kaufen. Die Kinder möchte ich da nicht mitnehmen.
- ○ Mittwochvormittag?
- ● Ja, das wär' mir am liebsten.
- ○ Warte mal, ich hole mal meinen Kalender. Ich kann erst ab 11 Uhr, vorher bin ich beim Arzt.
- ● Hm, das ist ein bisschen spät. Und am Donnerstag? Kannst du da vielleicht?
- ○ Ja, da habe ich den ganzen Nachmittag frei.
- ● Das wäre toll. Am Nachmittag geht Ella zu ihrer Freundin und dann hättest du nur Paul.
- ○ Die Freundin von Ella kenne ich ja auch und das ist doch nicht weit. Paul und ich machen einen Spaziergang und holen Ella zum Abendbrot wieder ab.
- ● Super, Mama, du bist ein Schatz. Danke!

3a
1. von; auf	3. im; mit	5. vor
2. aus	4. bei	6. in

3b
1. der; dem; die   3. der; der; das; dem ; der
2. die; den   4. das; den; den

3c
- ● Hattest du einen Unfall? Was ist passiert?
- ○ Ist nicht so schlimm. Ich bin wie immer quer durch den Park gefahren bis zum Kiosk auf der anderen Seite. Ich bin zu schnell um die Ecke gefahren und habe das Auto nicht gesehen. Ich habe gebremst und bin gegen den Zaun gefallen.
- ● Bist du ohne deinen Helm gefahren?
- ○ Hm, ja, den hatte ich Claudia geliehen. Sie brauchte ihn für einen Kindergartenausflug. Da darf man nicht ohne Helm kommen.
- ● Da hast du aber noch Glück gehabt. Vielleicht solltest du für Claudia einen eigenen Helm kaufen.

4a
1. Können Sie beschreiben, welche Unterschiede Ihnen zwischen Deutschland und Ihrem Land auffallen?
2. Wissen Sie, welche Vorurteile die Generationen übereinander haben?
3. Mich würde interessieren, wie Jung und Alt voneinander profitieren können.
4. Man müsste untersuchen, wie die Generationen einander besser helfen können.

4b
1. Können Sie mir sagen, wie viel ein Babysitter in der Stunde kostet?
2. Kannst du dir erklären, warum die Deutschen so wenige Kinder haben?
3. Mich würde interessieren, ob meine Tochter einen Kindergartenplatz bekommt.
4. Können Sie mir sagen, wo ich Kinderschuhe finde?
5. Wisst ihr, wann der nächste Bus fährt?
6. Soll ich den Kellner fragen, ob es auch Bratkartoffeln gibt?
7. Der Chef möchte wissen, um wie viel Uhr der Computer wieder funktioniert.
8. Können Sie herausfinden, ob die Krankenkasse meine Brille bezahlt?

5
1. lernen; surfen	5. bin; haben
2. bieten ... an	6. ist; kommen
3. sind; unterrichten	7. geschafft; kaufen; speichern
4. steht	

6
1 Liebe	12 Spielplatz
2 Engagement	13 Alleinerziehende
3 Altersheim	14 Seniorin
4 Vorurteil	15 Tagebuch
5 Nachhilfe	16 Hintergrund
6 Geduld	17 Generation
7 Kindergarten	18 Talent
8 Tagesmutter	19 Bevölkerung
9 Qualifikation	20 Jahrzehnt
10 Hausaufgabenbetreuung	21 Vordergrund
11 Verständnis	

7a
1. dem Grundstück	6. das Verhältnis
2. Die Bewohner	7. Alleinstehende,
3. das Zusammensein	Alte/Senioren,
4. Verständnis/Vertrauen	Paare und Jugendliche
5. Kompromisse	

7b
1. abbauen	4. anbieten
2. entwickeln	5. beibringen
3. profitieren	

Kapitel 26

1a
- ● Guten Morgen, was kann ich für Sie tun?
- ○ Ich möchte ein anderes Zimmer.
- ● War etwas nicht in Ordnung?
- ○ Das kann man wohl sagen. Das Zimmer ist gleich neben dem Aufzug und der macht so einen Lärm, dass ich die ganze Nacht nicht geschlafen habe.
- ● Oh, das tut mir leid. Sie können selbstverständlich ein anderes Zimmer haben. Ich kann Ihnen ein Zimmer im dritten Stock anbieten.
- ○ Na gut.
- ● Das ist Zimmer 307. Wenn das Zimmer fertig ist, holt Ihnen jemand Ihr Gepäck.

1b
aufräumen	hat aufgeräumt
finden	hat gefunden
buchen	hat gebucht
reservieren	hat reserviert
mitnehmen	hat mitgenommen
tragen	hat getragen
bleiben	ist geblieben
fahren	ist gefahren
sprechen	hat gesprochen
funktionieren	hat funktioniert
abwaschen	hat abgewaschen
bedienen	hat bedient
bestellen	hat bestellt
helfen	hat geholfen
abschließen	hat abgeschlossen
renovieren	hat renoviert
übernachten	hat übernachtet
faxen	hat gefaxt
abschicken	hat abgeschickt
zurückrufen	hat zurückgerufen
abholen	hat abgeholt
reparieren	hat repariert
putzen	hat geputzt
sauber machen	hat sauber gemacht
begrüßen	hat begrüßt
staubsaugen	hat gestaubsaugt
festlegen	hat festgelegt
sich beschweren	hat sich beschwert

1d 1b; 2g; 3a; 4h; 5e; 6f, 7c; 8d

1e 1b; 2c, 3b, 4a; 5b; 6c; 7a; 8b; 9b; 10a

2a

1 die	7 eine	13 ein
2 das	8 Ein	14 einen
3 der	9 ein	15 deine
4 der	10 ein	16 das
5 meinem	11 ein	17 einen
6 Der	12 eine	18 den

2b
1. Susanne ist die Tochter eine<u>s</u> Polizist<u>en</u> und liebt einen Kolleg<u>en</u> ihres Vater<u>s</u>.
2. Das ist das Auto unseres Nachbar<u>n</u>, Freund<u>es</u> und Vereinspräsident<u>en</u> Hubert.
3. Ich bin zurzeit die Sekretärin meines Mann<u>es</u>, des Chef<u>s</u> der Firma Kahlmeier GmbH.
4. Das ist das Restaurant eines Türk<u>en</u> und da drüben ist das eines Chines<u>en</u>.
5. Ich kann erst später kommen, weil mein Sohn krank ist. Ich muss mit dem Jung<u>en</u> zum Arzt.
6. Das Gehalt eines Direktor<u>s</u> ist doppelt so hoch wie das eines Angestellt<u>en</u> oder eines Lehrer<u>s</u>.

3
Hallo Zuheir,
es ist gar nicht so einfach, in den <u>Ferien</u> einen Job zu <u>bekommen</u>. Du weißt, ich habe zu Hause oft als Kellner gejobbt und habe da viel <u>Erfahrung</u>. Kellner braucht man doch eigentlich immer, vor allem im Sommer, <u>wenn</u> die Kneipen und Restaurants bis <u>spätabends</u> auch draußen <u>servieren</u>. Die <u>meisten</u> Kneipen und Restaurants haben eine Liste mit <u>Leuten</u>, die sie anrufen, wenn sie jemanden brauchen. Da stehe ich <u>jetzt</u> auch drauf, aber ganz unten! <u>Nächste</u> Woche kann ich an drei Abenden in einer Eisdiele aushelfen und am Wochenende <u>gibt</u> es Arbeit in einer <u>Küche</u>. Zu dem Restaurant gehört auch ein <u>großer</u> Biergarten und da <u>hoffe</u> ich ja … Wünsch mir Glück, <u>dass</u> ich bald etwas finde!
Viele Grüße
Tarek

4a

hoch	höher	am höchsten
schnell	schneller	am schnellsten
gut	besser	am besten
warm	wärmer	am wärmsten
billig	billiger	am billigsten
viel	mehr	am meisten
bequem	bequemer	am bequemsten
dick	dicker	am dicksten
sportlich	sportlicher	am sportlichsten
gern	lieber	am liebsten
jung	jünger	am jüngsten
anstrengend	anstrengender	am anstrengendsten
sicher	sicherer	am sichersten

4b 1c; 2e; 3b; 4d; 5a

Kapitel 27

1a

Getränke	vom Obst- und Gemüsehändler	vom Metzger
der Apfelsaft, "-e	die Zwiebel, -n	das Schnitzel, –
der Kaffee *Sg.*	die Möhre, -n	die Salami, -s
die Limonade, -n	die Orange, -n	der Schinken, –
der Wein, -e	die Zitrone, -n	das Rindfleisch *Sg.*
der Tee, -s	die Mango, -s	die Fleischwurst, "-e
der Tomatensaft, -"e	die Gurke, -n	das Steak, -s
das Bier, -e	der Apfel, "-	das Schweinefleisch *Sg.*
das Mineralwässer, –	die Kartoffel, -n	die Bratwurst, "-e
	die Birne, -n	die Lammkeule, -n
	die Banane, -n	die Leberwurst, "-e
	die Kiwi, -s	das Geflügel *Sg.*
	der Salat, -e	
	die Nuss, "-e	
	die Tomate, -n	
	das Obst *Sg.*	
	der Pfirsich, -e	

vom Bäcker	Milchprodukte	Sonstiges
das Weißbrot, -e	die Milch *Sg.*	der Zucker *Sg.*
das Brötchen, –	der Käse *Sg.*	der Essig *Sg.*
das Vollkornbrot, -e	die Butter *Sg.*	der Pfeffer *Sg.*
der Kuchen, –	der Gouda *Sg.*	die Nudel, -n
die Torte, -n	der Quark *Sg.*	der Fisch, -e
	der Joghurt, -s	die Gemüsesuppe, -n
		die Pizza, -s/-en
		das Öl, -e
		das Salz, -e
		die Marmelade, -n
		die Margarine *Sg.*
		der Reis
		das Ei, -er

1b Zum Beispiel:
1. Kaffee, Zucker 5. Bier, Limonade
2. Gouda, Schinken 6. Butter, Kaffee
3. Milch, Olivenöl 7. Milch, Wein
4. Kiwis, Tomaten

2 Zum Beispiel:
1 + 10 + 19/22
2 + 9/11/12/13/15 + 17/20
2 + 15 + 18
3 + 16 + 19/21/22/23/24
4 + 9/11/12/13 + 19/21/22
5 + 9/11/12/13/15 + 21/22/23/24
6 + 9/11/12/13 + 19/21/22/23/24
7 + 9/11/12/15 + 17/20
7 + 14 + 18
8 + 11/12/15 + 21/22/23/24

3 1a; 2c; 3a; 4b; 5c, 6a; 7b; 8a; 9c; 10b

4 Wenn man von Ernährungsgewohnheiten spricht, denkt man bei den Deutschen auch immer an Kartoffeln. In Europa kennt man die Kartoffel aber erst seit 450 Jahren und in der Küche findet man sie erst seit 200 Jahren. Heute ist sie auf jedem Speiseplan zu finden und viele Deutsche essen fast täglich Kartoffeln. Man kann sie kochen, braten, man kann Salat oder köstliche Suppen daraus machen, es gibt viele Varianten. In ländlichen Gegenden in Norddeutschland hat man sogar zum Frühstück Bratkartoffeln auf Schwarzbrot gegessen. Das gibt es heute bestimmt immer seltener, aber überall in Deutschland findet man die Kartoffel als Pommes frites oder Kartoffelchips, was vor allem eine Spezialität von Jugendlichen ist, aber auch Erwachsene essen sie gern, vor allem beim Fernsehen. Im Süden Deutschlands hat die Kartoffel aber einer große Konkurrentin: die Nudel.

5a
1. Warum ist das Taxi nicht da, obwohl ich es vor einer halbe Stunde bestellt habe?
2. Warum bleibst du heute nicht zu Hause, obwohl du krank bist?
3. Warum bist du so unzufrieden, obwohl du die Prüfung bestanden hast?
4. Warum fährst du in Urlaub, obwohl du kein Geld hast?
5. Warum fährst du nicht mit der Straßenbahn, obwohl du ein Monatsticket hast?
6. Warum bist du noch da, obwohl du einen wichtigen Termin hast?
7. Warum hast du Steaks gemacht, obwohl ich kein Fleisch esse?
8. Warum hast du nicht gewartet, obwohl ich dir gesagt habe, dass ich auf jeden Fall komme?

5b
1. weil; obwohl 6. Obwohl; weil
2. weil 7. weil; Obwohl
3. obwohl 8. weil; obwohl
4. obwohl; weil 9. Obwohl; weil
5. weil; Obwohl

6
1. X
2. warum
3. wenn
4. aber
5. die
6. weil
7. weil
8. wenn
9. X
10. aber

7 1G; 2G; 3K; 4G; 5K; 6G; 7K; 8K; 9G; 10K

8a
1. vegetarisch
2. fett
3. roh
4. satt
5. scharf
6. leer
7. alkoholisch
8. lecker

8c fett: das Fast Food, das Fett, das Fleisch, die Imbissbude, die Kalorie, der/das Ketchup, die Mayonnaise, die Nachspeise, die Pommes, das Übergewicht, die Wurst, das Würstchen
trinken: das Bier, die Flüssigkeit, der Fruchtsaft, die Limonade, der Rotwein, alkoholisch, prost, Zum Wohl

Kapitel 28

1 Die Bundesrepublik Deutschland ist ein Bundesstaat mit 16 <u>Bundesländern</u>. Das deutsche Parlament heißt <u>Bundestag</u>. Alle vier Jahre wählen die Bürger/innen ihre <u>Abgeordneten</u>, die sie dann vier Jahre in Berlin vertreten. Jedes Bundesland hat ein eigenes <u>Parlament</u>, den Landtag. Wenn man 18 Jahre alt ist und einen deutschen Pass hat, darf man <u>wählen</u>. Meistens bilden zwei Parteien zusammen die <u>Regierung</u>, weil eine allein nicht die <u>Mehrheit</u> im Parlament hat. Die anderen Parteien bilden dann die Opposition. Das Parlament wählt den <u>Bundeskanzler / die Bundeskanzlerin</u> und diese/r wählt dann seine/ihre Minister/innen aus. Das Staatsoberhaupt heißt <u>Bundespräsident/Bundespräsidentin</u>. Er/Sie muss alle <u>Gesetze</u> unterschreiben, aber er/sie hat nur wenig politische <u>Macht</u>.

2 1939: Deutschland <u>beginnt</u> den Zweiten Weltkrieg mit dem Angriff auf Polen.
1945: Deutschland <u>verliert</u> den Zweiten Weltkrieg.
1949–1989: Es gibt zwei deutsche <u>Staaten</u>, die DDR und die BRD.
1955: Mit dem Wirtschaftswunder <u>kommen</u> die „Gastarbeiter" in die BRD.
1961: Die Mauer <u>teilt</u> die Stadt Berlin. Die Bürger der DDR <u>dürfen</u> nicht mehr <u>frei</u> reisen.
1989: Die deutsch-deutsche <u>Grenze</u> fällt. Deutsche aus Ost und West <u>können</u> sich wieder <u>ohne</u> Kontrolle treffen.
1990: Die östlichen Bundesländer sind der Bundesrepublik <u>beigetreten</u>. Der 3. Oktober ist deshalb ein nationaler <u>Feiertag</u>.

3a

Infinitiv	Präsens	Präteritum	Perfekt
arbeiten	sie arbeitet	sie arbeitete	sie hat gearbeitet
zuhören	sie hört zu	sie hörte zu	sie hat zugehört
kennenlernen	sie lernt kennen	sie lernte kennen	sie hat kennengelernt
zeigen	sie zeigt	sie zeigte	sie hat gezeigt
einkaufen	sie kauft ein	sie kaufte ein	sie hat eingekauft
bestellen	sie bestellt	sie bestellte	sie hat bestellt
sich bedanken	sie bedankt sich	sie bedankte sich	sie hat sich bedankt
kochen	sie kocht	sie kochte	sie hat gekocht
vorbereiten	sie bereitet vor	sie bereitete vor	sie hat vorbereitet
benutzen	sie benutzt	sie benutzte	sie hat benutzt
lachen	sie lacht	sie lachte	sie hat gelacht
schicken	sie schickt	sie schickte	sie hat geschickt
informieren	sie informiert	sie informierte	sie hat informiert
sich freuen	sie freut sich	sie freute sich	sie hat sich gefreut
trainieren	sie trainiert	sie trainierte	sie hat trainiert
planen	sie plant	sie plante	sie hat geplant
sich ärgern	sie ärgert sich	sie ärgerte sich	sie hat sich geärgert
besuchen	sie besucht	sie besuchte	sie hat besucht
einrichten	sie richtet ein	sie richtete ein	sie hat eingerichtet
erreichen	sie erreicht	sie erreichte	sie hat erreicht
feiern	sie feiert	sie feierte	sie hat gefeiert
heiraten	sie heiratet	sie heiratete	sie hat geheiratet
begrüßen	sie begrüßt	sie begrüßte	sie hat begrüßt
gratulieren	sie gratuliert	sie gratulierte	sie hat gratuliert
zerstören	sie zerstört	sie zerstörte	sie hat zerstört
teilen	sie teilt	sie teilte	sie hat geteilt
verreisen	sie verreist	sie verreiste	sie ist verreist
verwenden	sie verwendet	sie verwendete	sie hat verwendet
wandern	sie wandert	sie wanderte	sie ist gewandert

3b

anfangen	fing an	hat angefangen	liegen	lag	hat gelegen
anrufen	rief an	hat angerufen	nehmen	nahm	hat genommen
bekommen	bekam	hat bekommen	schlafen	schlief	hat geschlafen
bleiben	blieb	ist geblieben	schreiben	schrieb	hat geschrieben
bringen	brachte	hat gebracht	sehen	sah	hat gesehen
denken	dachte	hat gedacht	sprechen	sprach	hat gesprochen
essen	aß	hat gegessen	stehen	stand	hat gestanden
fahren	fuhr	ist gefahren	treffen	traf	hat getroffen
fallen	fiel	ist gefallen	umsteigen	stieg um	ist umgestiegen
finden	fand	hat gefunden	verlieren	verlor	hat verloren
geben	gab	hat gegeben	verstehen	verstand	hat verstanden
halten	hielt	hat gehalten	wissen	wusste	hat gewusst
helfen	half	hat geholfen	ziehen	zog	hat gezogen

3c
1. 1945 war der Krieg zu Ende.
2. Die Sieger teilten Deutschland in vier Zonen.
3. 1949 entstanden daraus zwei deutsche Staaten.
4. Die Sowjetunion förderte die DDR.
5. Die westlichen Demokratien halfen beim Aufbau der DDR.
6. Viele Menschen flohen aus der DDR in den Westen.
7. Deshalb baute die DDR-Regierung 1961 in Berlin eine Mauer.
8. Die Bürger der DDR durften 18 Jahre nicht mehr in den Westen fahren.
9. 1989 kam es zu großen Demonstrationen.
10. Im Sommer 1989 öffnete Ungarn seine Grenze.
11. Im November fiel dann die Mauer in Berlin.
12. Am 3. Oktober 1990 traten die fünf neuen Bundesländer der BRD bei.

4a Liebe Inge,
so weit weg von der Heimat <u>konnten</u> wir kaum glauben, was in den letzten Wochen bei euch <u>passiert ist</u>. Seit August <u>haben</u> mich meine Schüler immer wieder <u>gefragt</u>, was in Deutschland passieren wird. Und ich <u>habe</u> immer <u>gesagt</u>, dass viel passieren kann, aber dass die Mauer nicht so schnell fallen wird. Und dann <u>ist</u> die Mauer <u>gefallen</u>. Am Tag danach <u>haben</u> meine Schüler gleich <u>gesagt</u>: „Und jetzt kommt die Wiedervereinigung." Ich <u>konnte</u> das nicht glauben und <u>habe</u> ihnen <u>geantwortet</u>, dass es jetzt wahrscheinlich zwei demokratische deutsche Staaten geben wird. Für die Brasilianer <u>war</u> gleich klar, dass die Wiedervereinigung kommen muss. Nur die Deutschen hier <u>hatten</u> Probleme, daran zu glauben. Ich bin gespannt, wie das weitergeht.
Liebe Grüße
dein Ludwig

4b
1. Als ich drei Jahre alt war, habe ich ein Dreirad bekommen.
2. Als meine Großmutter 16 Jahre alt war, heiratete sie meinen Großvater.
3. Als mein Freund zu mir in die Wohnung gezogen ist, hatten wir vier Wochen Chaos.
4. Als Clara nach Deutschland kam, sprach sie noch kein Wort Deutsch.
5. Als Marcel arbeitslos war, hat er viel vor dem Fernseher gesessen.

4c 1. erfunden hatten; konnten
2. entwickelt hatte; erfand
3. konnte; entwickelt hatte
4. gebaut hatten; gab
5. schickten; gewesen war
6. entwickelt hatte; wurden

5 1.
a) Nachdem Marianne Schubert 1981 das Abitur gemacht hatte, fuhr sie sechs Monate nach Spanien.
b) Nachdem sie den Sprachkurs beendet hatte, arbeitete sie in einem Restaurant.
c) Nachdem sie dort Spanisch gelernt hatte, bewarb sie sich an einer Dolmetscherschule.
d) Nachdem sie dort vier Jahre studiert hatte, bestand sie das Examen mit „sehr gut".
e) Nachdem sie sich bei internationalen Firmen beworben hatte, bekam sie eine Stelle in der Tourismusindustrie.
f) Nachdem sie vier Jahre bei SAP gearbeitet hatte, wechselte sie in die Politik.

2.
a) Nachdem seine Frau eine sehr gut bezahlte Stelle bekommen hatte, war er drei Jahre Hausmann.
b) Er las immer lange Zeitung, nachdem er die Kinder in den Kindergarten gebracht hatte.
c) Nachdem er sich mit Freunden im Fitnessstudio getroffen hatte, machte er den Haushalt und ging einkaufen.
d) Er holte die Kinder Mittag ab, nachdem er das Mittagessen gekocht hatte.
e) Nachdem die Kinder geschlafen hatten, ging er mit ihnen zum Spielplatz.
f) Nachdem die Kinder in die Schule gekommen waren, musste er immer um sechs Uhr aufstehen.

6 1. Traum; Kolonialismus   5. Studenten
2. Europa; Partner   6. Währung; Pass
3. bürokratisch   7. Gesetze
4. Geschichte

7 1. Zuwanderung   4. Währung
2. Arbeitskräfte   5. Unterschiede
3. Migranten/Flüchtlinge

Kapitel 29

1 1. Peter war drei Jahre Hausmann und hat sich um die Kinder gekümmert.
2. Delia denkt gerne an ihre Kindheit zurück.
3. Mein Traummann muss sich für die gleichen Dinge interessieren wie ich.
4. Vor sieben Jahren hat sich Michael von seiner Frau getrennt.
5. In einer guten Partnerschaft unterhält man sich auch über die Beziehung.
6. Sie hat sich auf einem Sommerfest in ihren Mann verliebt.
7. Anna ist schwanger – jetzt freuen sie und Tim sich auf ein Leben zu dritt.
8. Hans kann sich nicht an die Hausarbeit gewöhnen. Er lässt sich immer bedienen.
9. Beate ärgert sich immer über die Schuhe, die im Badezimmer stehen.
10. In den ersten Jahren haben sie sich oft über die Hausarbeit gestritten.
11. Maria erinnert sich gern an den ersten Abend mit Paul.
12. Die ersten Wochen waren schön, aber dann war sie total enttäuscht von ihm.

2 1K; 2I; 3D; 4H; 5N; 6B; 7F; 8O; 9M; 10E

3 1. Wir haben uns vor vier Jahren auf einem Fest bei Freunden kennengelernt.
2. Ich verliebe mich oft, aber das hält nicht lange – höchstens zwei oder drei Monate.
3. Wir sind neunzehn Jahr verheiratet und ich bin immer noch in meinen Mann verliebt.
4. Für mich ist es besonders wichtig, dass ich mich auf meinen Freund verlassen kann.
5. Das Schönste ist, wenn man zusammen alt werden kann und eine große Familie hat.
6. Man muss auch auf die Kleinigkeiten achten, damit eine Liebe lange hält.

4 1. Als   6. Als
2. wenn/weil   7. weil/obwohl
3. Nachdem   8. Bevor
4. weil   9. Seit
5. Als/Weil

5 1. weder … noch   3. nicht nur … sondern auch
2. sowohl … als auch   4. Entweder … oder

6 Liebe Hannelore, lieber Jörg,
jetzt wohnen wir schon seit vier Monaten in Nicaragua. Die Zeit vergeht so schnell. Wir haben uns gut eingelebt. Langsam haben wir auch alle wichtigen Möbel und Haushaltsgeräte für unsere Wohnung. Die Kinder fühlen sich sehr wohl im Kindergarten. Sie haben schon einige Wörter auf Spanisch gelernt. Sowohl der Kindergarten als auch die Schule sind gut. Mareike hat schon viele neue Freunde gefunden, obwohl sie auch oft traurig ist, wenn sie an die Freundinnen zu Hause denkt.
Das Wetter hier war bisher sehr angenehm. Aber im Sommer soll es dann sehr heiß und schwül werden. Wenn wir die ersten Ferien haben, wollen wir entweder an die Pazifikküste fahren oder in die Karibik. Ich hoffe, zu Hause geht es allen gut. Am Jahresende kommen wir euch besuchen.
Ganz liebe Grüße an euch und alle Freunde
Aljoscha, Mareike, Selda und Lukas

7 1. Während mein Lieblingsessen Kartoffelsuppe ist, isst meine Tochter am liebsten Spaghetti.
2. Wir fahren dieses Jahr nach Spanien, während unsere Nachbarn zu Hause bleiben.
3. Tina bekommt 10 Euro in der Woche, während Elke nur 5 Euro bekommt.
4. Die Nachmarskinder sehen nachmittags fern, während wir draußen spielen müssen.
5. Während Sarah eine Elektrikerlehre macht, geht Klaus noch weiter zur Schule.
6. Sonja verdient schon Geld, während Gregor noch einen Job sucht.
7. Lutz muss noch mit dem Fahrrad fahren, während Theo schon Auto fahren darf.
8. Während sie gerne Bier trinkt, mag er am liebsten Rotwein.

8 Die meisten Menschen in Deutschland wünschen sich eine Familie als Lebensform. Das Elterngeld soll die finanzielle Situation von Familien verbessern und mehr Vätern die Möglichkeit geben, sich an der Erziehung ihrer Kinder aktiv zu beteiligen. Die Frauen können schneller in ihren Beruf zurückkehren. Beide Eltern können 14 Monate untereinander aufteilen. Ein Elternteil kann jedoch höchstens zwölf Monate in Anspruch nehmen. Zwei weitere Monate bekommt der Partner, wenn er in dieser Zeit das Kind betreut. Die Politik fördert damit vor allem Paare, die sich die Erziehungsarbeit teilen. Immer mehr Väter nehmen das Elternzeit-Angebot an, allerdings meistens nur für zwei Monate. Das hat vor allem berufliche Gründe.

Viele <u>Männer</u> – auch wenn sie es gerne wollten – können die Elternzeit nicht so lange in Anspruch <u>nehmen</u>, weil das ihren Arbeitsplatz gefährdet. Dieses Risiko <u>möchten</u> die Familien nicht eingehen.

9a
1. bevor
2. Bevor
3. bis
4. bis
5. bevor/bis
6. bis

9b
1. Wenn
2. als
3. Nachdem
4. bevor
5. Während

11

Nomen	Verb	Adjektiv
der Antrag	beantragen	–
die Unpünktlichkeit	–	unpünktlich
der Streit	streiten	strittig
die Entscheidung	(sich) entscheiden	entschieden
die Liebenswürdigkeit	–	liebenswürdig
die Zuverlässigkeit	–	zuverlässig

Kapitel 30

1 Ich bin letzte Woche die Treppe hinuntergefallen. Jetzt tut mir mein Fuß weh und ich kann nicht richtig laufen. Ich bin nicht sicher, ob ich mir den Fuß gebrochen habe. Im Krankenhaus hat der Arzt mich untersucht und das Bein geröntgt. In den ersten Tagen konnte ich mich nur langsam bewegen und musste das Bein oft auf den Stuhl legen. Eigentlich wollten wir am nächsten Wochenende eine Fahrradtour machen, aber das geht bestimmt nicht. Vielleicht gehe ich dann mit meiner Tochter zum Fußballplatz, aber nur als Zuschauerin.

2
1. Nachdem Hans Perich den Notarzt angerufen hatte, hat er für seine Frau die Tasche gepackt.
2. Frau Baumann ist gestern zum Arzt gegangen, weil sie so oft Kopfschmerzen hat.
3. Wenn Sie Ihre Versichertenkarte vergessen, müssen Sie ein bestimmtes Formular unterschreiben.
4. Frau Ehrlich muss eine Woche im Krankenhaus bleiben, wenn sie ihr Kind bekommen hat.
5. Herbert Meyer möchte nicht, dass ihn sein Chef im Krankenhaus besucht.
6. Wenn Maria aus dem Krankenhaus kommt, werden wir ein großes Fest machen.
7. Erhan hatte einen Arbeitsunfall. Er hat seine Frau angerufen, bevor er ins Krankenhaus gegangen ist.
8. Der Rettungsdienst fragt am Telefon, ob es noch mehr Verletzte gibt.

3 1c; 2b; 3a; 4b; 5c; 6a; 7a; 8b; 9c; 10b

4a
1. Wann darf ich nach Hause?
2. Wann ist die Visite?
3. Wo ist der Stationsarzt?
4. Wer verteilt die Medikamente?
5. Mit wem kann ich sprechen?
6. Wie ist die Telefonnummer?
7. Was brauche ich zum Fernsehen?
8. Wer ist das?

4b
1. Dr. Maaß möchte wissen, ob Herr Schiller Schmerzen hat.
2. Der Sanitäter fragt, wann der Unfall genau passiert ist.
3. Paul Schiller fragt, ob er seine Frau anrufen darf.
4. Dr. Maaß fragt, welche Medikamente er nimmt.
5. Er möchte auch wissen, ob er raucht und (ob er) oft Alkohol trinkt.
6. Frau Schiller fragt, wann sie ihren Mann besuchen kann.
7. Sie möchte auch wissen, ob es feste Besuchszeiten gibt.
8. Paul Schiller erkundigt sich, wie lange er arbeitsunfähig sein wird.
9. Frau Schiller fragt den Arzt, ob ihr Mann operiert werden muss.

5
1. neuen
2. aktuelle
3. spannendes; neuen
4. blauen; grünen
5. warmen; rote
6. schmutzige; frische
7. interessante
8. schwere; eine
9. neue; schwarze
10. netter; unsympathische

6a Viele Frauen in meiner Familie waren Hebammen. Ich komme aus dem Iran <u>und</u> habe dort über 15 J<u>a</u>hre als Hebamme gearbeitet. Er<u>st</u> in einer Kleinstadt <u>und</u> später auf dem Lan<u>d</u>. Das war eine s<u>e</u>hr harte Arbeit. Urlaub h<u>a</u>t es nie gegeben. M<u>ei</u>ne Mutter war auch Heb<u>a</u>mme in unserem Dorf <u>und</u> sie hat dort j<u>e</u>des Kind „Auf die Wel<u>t</u> gebracht". Sie bekam v<u>o</u>n den Familien oft k<u>ei</u>n Geld, sondern Lebensmittel. Da<u>gege</u>n sieht mein Hebammenalltag h<u>ie</u>r ganz anders aus. <u>I</u>ch habe Urlaub und e<u>i</u>ne geregelte Arbeitszeit. Das gef<u>ä</u>llt mir hier. Auch d<u>ie</u> fortschrittliche medizinische Versorgung finde ich g<u>u</u>t. Aber es gibt au<u>ch</u> Nachteile. Ich muss im Schich<u>t</u>dienst arbeiten und das p<u>a</u>sst überhaupt nicht zu mei<u>n</u>er Arbeit, bei der <u>i</u>ch Mutter und Kind über d<u>ie</u> ganze Geburt begleiten mö<u>ch</u>te. Man hat auch wenig Kontakt zu den Müttern und zu den Familien. Das finde ich schade.

6b
1. Medikamente/Tabletten
2. ein Rezept / eine Überweisung / eine Krankmeldung
3. Die Termine / Die Überweisung / Die Krankmeldung
4. Termine
5. die Medikamente / die Tabletten
6. Versichertenkarte/Überweisung
7. eine Überweisung

7a
1e die	6h den
2f das	7b die
3g dem	8c dem
4a der	9j das
5d der	10i die

7b
1. Viele Schwestern, die in Krankenhäusern arbeiten, haben schlechte Arbeitsbedingungen.
2. Ein junger Arzt, der in einem Krankenhaus arbeitet, verdient relativ wenig.
3. Der Versicherungsschutz, den die Krankenkassen anbieten, ist oft nicht ausreichend.
4. Die Gesundheitsreform, mit der der Staat Geld sparen will, schadet den Patienten.
5. Die Probleme, über die manche Politiker diskutieren, sind nicht immer die der Menschen.
6. Armut von Kindern ist ein Problem, über das man zu wenig spricht.
7. Alte Menschen, die wenig Rente haben, können sich oft nur das Notwendigste kaufen.
8. Junge Leute, von denen viele keine Arbeit bekommen, haben kaum Zukunftschancen.
9. Frauen, die sehr qualifiziert sind, haben schlechtere Karrierechancen als Männer.
10. Menschen, die über viele Jahre nachts arbeiten müssen, haben oft gesundheitliche Probleme.

8
1. Besuchszeit
2. Schlaftablette
3. Schmerzen
4. operieren
5. Notaufnahme
6. Patient
7. Verletzung
8. einnehmen
9. Untersuchung
10. Versichertenkarte

Kapitel 31

1 1f; 2d; 3g; 4b; 5c; 6e; 7h; 8a

2 1K; 2E; 3A; 4I; 5G; 6F; 7B; 8H; 9C; 10J

3 1. Was heißt Sport treiben? Ich gehe gern spazieren und fahre viel Fahrrad. Ist das Sport?
2. Sport macht mir nur Spaß, wenn ich regelmäßig in einem Verein trainieren kann.
3. Ich mache schon immer viel Sport in meiner Freizeit und treffe dabei meine Freunde.
4. Aus gesundheitlichen Gründen kann ich nur ganz wenig Sport im Fitnesscenter machen.

4 1. Für Schokolade und Kinokarten.
2. An meinen Freund in Australien.
3. Nach einem Flug nach Sidney.
4. Über den neuen Film in der „Kamera".
5. Über das teure Busticket.
6. Auf ein Frühstück im Bett.
7. Nur für Fußball.
8. Auf den Grammatiktest.

5 1. dafür   4. darauf
2. daran   5. danach
3. darüber   6. darum

6 1a mit wem   4a wonach
1b worüber   4b wovon
2a wem   5a mit wem
2b was   5b woran
3a wie oft   6a worauf
3b was   6b wann

7 Ich denke mir, dass jeder einen Traum hat. Mein Traum w<u>ar</u> es eben, <u>aus</u> meinem Hobby mei<u>nen</u> Beruf zu ma<u>chen</u>. Das hatte <u>ich</u> mir schon a<u>ls</u> Kind vorge-nommen. U<u>nd</u> mein Hobby w<u>ar</u> Sport. Ich intere<u>ss</u>iere mich fast n<u>ur</u> für Sport, f<u>ür</u> verschiedene Sportarten. Da<u>rum</u> habe ich mi<u>ch</u> für Sport entsch<u>ieden</u>. Kein Mensch wi<u>rd</u> als Sportler geb<u>oren</u>, auch wenn m<u>an</u> von der geb<u>oren</u>en Schwimmerin oder d<u>em</u> geborenen Skifahrer spri<u>cht</u>. Das ist Quat<u>sch</u>. Und es i<u>st</u> auch Quatsch, da<u>ss</u> man alles erre<u>ichen</u> kann, wenn m<u>an</u> nur will. I<u>ch</u> habe die Erfahrung gemacht, dass m<u>an</u> Erfolg n<u>icht</u> planen kann, oft muss man spontan entscheiden. Das habe ich mir gemerkt.

8 1. Gestern habe ich meine Freundin in der Kneipe getroffen.
2. Hast du dich zur Prüfung angemeldet?
3. Zur Party ziehe ich heute Abend den neuen Pullover an.
4. Ich verstehe Deutsch jetzt schon gut.
5. Wir treffen uns nächsten Sonntag vor dem Kino.
6. Willst du dich für das Fest schick anziehen?
7. Frau Blix meldet ihren Sohn beim Sportverein an.
8. Wir sind seit drei Jahren verheiratet und verstehen uns sehr gut.

9 1. mir   5. dir
2. euch; euch   6. uns
3. sich   7. dich
4. euch   8. mich

10 1a Paul geht mittwochs immer zum Sport, um fit zu bleiben.
1b Paul geht mittwochs zum Sport, damit seine Frau ihre Freundinnen einladen kann.
2a Theo bügelt gerne vor dem Fernseher, um sich zu entspannen.
2b Theo bügelt gerne vor dem Fernseher, damit der Wäschekorb endlich leer wird.
3a Christiane hat immer ihr Handy dabei, um Musik zu hören.
3b Christiane hat immer ihr Handy dabei, damit ihre Freundinnen sie immer anrufen können.
4a Lutz sitzt auch am Wochenende am Schreibtisch, um keine E-Mails zu verpassen.
4b Lutz sitzt auch am Wochenende am Schreibtisch, damit die kommende Woche ein voller Erfolg wird.
5a Ralf arbeitet viel, um einmal im Jahr eine Fernreise zu machen.
5b Ralf arbeitet viel, damit das Bankkonto wächst.

11 1. analysieren   5. hasst
2. jogge   6. ganz
3. erfolgreicher   7. ungefähr
4. stolz   8. fast

Kapitel 32

1 1a Wenn man sich die Zeitung mit den Nachbarn teilt.
1b Im letzten Jahr habe ich mir die Zeitung mit den Nachbarn geteilt.
2a Wenn man einen Einkaufszettel schreibt und nicht kauft, was nicht daraufsteht.
2b Seit einiger Zeit schreibe ich Einkaufszettel und kaufe nichts, was nicht daraufsteht.
3a Wenn man das Auto in der Garage lässt und mehr Fahrrad fährt.
3b Ab morgen will ich das Auto in der Garage lassen und mehr Fahrrad fahren.
4a Wenn man immer nur mit Bargeld bezahlt und ein Haushaltsbuch führt.
4b Es wäre gut, wenn ich immer nur mit Bargeld bezahle / bezahlen würde und ein Haushaltsbuch führe / führen würde.
5a Wenn man sich das Geld einteilt und jede Woche nur eine bestimmte Geldsumme ausgibt.
5b Ich habe mir vorgenommen, mir das Geld einzutei-len und jede Woche nur eine bestimmte Geldsum-me auszugeben.

2 1. Das ist der Vater meiner Mutter: mein Großvater.
2. Das ist der Sohn meines Bruders: mein Neffe.
3. Das sind die Eltern meines Mannes: meine Schwie-gereltern.
4. Das ist die Schwester meines Vaters: meine Tante.
5. Das ist die Tochter meiner Schwester: meine Nichte.
6. Das ist die Mutter meines Mannes: meine Schwieger-mutter.
7. Das ist die Frau meines Bruders: meine Schwägerin.
8. Das sind die Kinder meiner Tochter: meine Enkel/ Enkelkinder.

3 1. der regionalen   5. meiner größten persönlichen
2. eines alten   6. jeder neuen
3. der neuen   7. meiner
4. unserer   8. einer attraktiven und intelligenten

4a 1. Trotz   5. Wegen
2. Wegen   6. Trotz
3. Wegen   7. Wegen
4. Trotz   8. Trotz

4b 1. Obwohl die Kosten hoch sind, verschicken deutsche Jugendliche täglich Millionen von SMS.
2. Weil er eine Grippe hat, fährt Tarek nächste Woche nicht nach Marokko.
3. Weil er eine Prüfung hat, kann Kaleb heute nicht mit in die Disco kommen.

4. Obwohl sie sich intensiv vorbereitet haben, haben einige die Prüfung nicht bestanden.
5. Weil es schwere Unwetter gab, wurde die Autobahn A 5 bei Mannheim gesperrt.

5
1. buchstabieren/sprechen
2. aufstellen/erklären
3. anrufen
4. führen
5. kündigen
6. abonnieren
7. bezahlen
8. beantworten

6
● Cyberpark.de, mein Name ist Christina Reiß, was kann ich für Sie <u>tun</u>?
○ Ich habe ein <u>Problem</u>.
● Wie kann ich Ihnen <u>helfen</u>? Möchten Sie etwas <u>bestellen</u> oder haben Sie eine <u>Reklamation</u>?
○ Er funktioniert nicht.
● Wer <u>funktioniert</u> nicht?
○ Ja, der <u>Computer</u>. Ich hab doch den <u>Computer</u> gekauft und jetzt geht er nicht.
● Darf ich zuerst mal <u>Ihren</u> <u>Namen</u> haben?
○ Oti.
● Wie bitte? Können Sie das bitte <u>buchstabieren</u>?
○ Xaver Oti. XAVER und dann OTI.
● Können Sie mir Ihre <u>Kundennummer</u> sagen?
○ Welche <u>Kundennummer</u>?
● Sie finden sie auf der <u>Rechnung</u> oben rechts.
○ Auf welcher <u>Rechnung</u>?
● Sie müssen mit dem Gerät eine <u>Rechnung</u> bekommen haben. Sie ist immer auf der <u>Verpackung</u> mit der Adresse aufgeklebt.
○ Ach, die muss dann noch drin sein.
● Herr Oti, ich schlage Ihnen vor, dass Sie zunächst die Rechnung <u>suchen</u>, und wenn Sie sie gefunden haben, dann rufen Sie mich wieder an. Ohne die <u>Informationen</u> auf der Rechnung kann ich Ihnen nicht <u>weiterhelfen</u>.
○ Gut, ich rufe dann gleich noch mal an.
● <u>Vielen</u> <u>Dank</u>, Herr Oti. Auf Wiederhören.

7 1a; 2c; 3b; 4c; 5a; 6b; 7a; 8c; 9c; 10a

8 Vor einer Prüfung:
1. Tom zeigt ihn ihr.
2. Brisen liest ihn ihm vor.
3. Kannst du es ihr erklären?
4. Ich verkaufe es ihm.
5. Herr Kruse gibt sie ihnen.
6. Können Sie es ihnen morgen sagen?

Beim Geburtstagsfest:
1. Marion schreibt sie ihr.
2. Ihr Freund zeigt sie ihnen.
3. Klaus schenkt ihn ihr.
4. Marion zeigt es ihnen.
5. Sie stellt sie ihm vor.
6. Sie merkt, dass er ihr gefällt.

9
1. das Einschreiben
2. der Kündigungsbrief
3. die Geschäftsführerin
4. die Garantie
5. die Rechnungsnummer

10 ausschließen – sie schließt aus – sie schloss aus – sie hat ausgeschlossen
feststellen – sie stellt fest – sie stellte fest – sie hat festgestellt
umtauschen – sie tauscht um – sie tauschte um – sie hat umgetauscht
sich wenden – sie wendet sich – sie wendete sich – sie hat sich gewendet
zurückgeben – sie gibt zurück – sie gab zurück – sie hat zurückgegeben
zurücknehmen – sie nimmt zurück – sie nahm zurück – sie hat zurückgenommen

Kapitel 33

1a
1. organisieren; bilden
2. verbrauchen; sparen
3. reduzieren; wegwerfen; sortieren
4. ausschalten; benutzen; anschließen
5. verbrauchen; sparen; bezahlen
6. trennen; wegwerfen
7. benutzen; vermeiden

1b
1. Ich finde es gut, wenn man einmal im Monat einen autofreien Tag hat.
2. In der Innenstadt sollten gar keine Privatautos mehr fahren, sondern nur noch Busse.
3. Warum steht in den Zeitungen so wenig über aktive Umweltorganisationen?
4. Energie muss noch viel teurer werden, dann sparen die Leute viel mehr.
5. Wer Abfall produziert oder die Umwelt verschmutzt, der soll auch dafür bezahlen.

2
1. Die alte Frau ist auf dem <u>Fahrradweg gefahren</u> und an der <u>Ampel</u> rechts <u>abgebogen</u>. Dort hat sie einen <u>Fußgänger</u> verletzt, der gerade über die Straße <u>ging</u>.
2. Weil Frau Merkel in der Innenstadt keinen <u>Parkplatz gefunden</u> hat, ist sie wieder nach Hause gefahren und hat dann die <u>Straßenbahn genommen</u>.
3. Meike hat einen <u>Strafzettel</u> bekommen. Sie hatte keinen Parkschein <u>gezogen</u>. Heute <u>will</u> sie mit dem <u>Bus</u> fahren.
4. Gestern ist Mehmet nicht pünktlich zur Arbeit <u>gekommen</u>, weil sein Fahrrad einen <u>Platten</u> hatte. Nächstes Jahr will er den <u>Führerschein</u> <u>machen</u>.

3 1b; 2c; 3a; 4b; 5c; 6a; 7b; 8b

4
1. Bevor man aus der Wohnung geht, soll man das Licht ausmachen.
2. Man kann viel Geld sparen, wenn man nachts die Heizung runterdreht.
3. Wenn man die Wohnung lüftet, soll man vorher die Heizung runterdrehen.
4. Es ist auch gut für die Gesundheit, wenn man mehr Fahrrad als Auto fährt.
5. Achten Sie auf das Energiesiegel, wenn Sie ein neues Haushaltsgerät kaufen.
6. Schalten Sie nachts alle Geräte ganz aus und lassen sie Sie nicht auf Stand-by.

5
1. Wir werden dem Bau einer Umgehungsstraße nicht zustimmen.
2. Wir werden in den kommenden Jahren keine Grundschulen schließen.
3. Wir werden den Freizeitbereich für Jugendliche ausbauen.
4. Wir werden in den Kindergärten mehr Personal haben.
5. Wir werden den Sprachunterricht in den Kindergärten und Schulen fördern.
6. Wir werden den Besuch in unseren Museen am Wochenende kostenlos machen.
7. Wir werden das Fahrradnetz in unserem Ort ausbauen.

6
1 Verpackung
2 produzieren
3 elektrisch/Einkaufstasche
4 Kleidercontainer
5 Energiesparlampe
6 ernten
7 Abwasser
8 Bioabfall
9 Papiertonne
10 Rohstoff
11 Mehrwegflasche
12 Müllhalde
13 Kunststoff
14 Mülltonne
15 Plastiktüten
16 verantwortungslos
17 erneuerbar
18 Batterie

7a
1. Diese Woche wird unsere Wohnung renoviert.
2. Samstags wird bei Müllers die Wohnung aufgeräumt und geputzt.
3. Der Bundespräsident wird alle fünf Jahre gewählt.
4. Der Bundespräsident wird nicht vom Volk gewählt.
5. Alle Patienten werden im Krankenhaus zuerst gründlich untersucht.
6. Patienten mit Übergewicht werden auf Diät gesetzt.
7. Vor der Prüfung wird gelernt, nach der Prüfung wird gefeiert!
8. Nach dem Kurs werden die Bücher verkauft.

7b
1. Wegwerfwindeln werden nur einmal benutzt und dann werden sie weggeworfen.
2. Plastiktüten werden oft nur einmal benutzt und dann werden sie in die Mülltonne geworfen.
3. Stofftaschen werden mehrmals benutzt.
4. Letztes Jahr wurde eine Bürgerinitiative für die Begrünung der Stadt organisiert.
5. Letzte Woche wurde unser Computer repariert.
6. in den letzten Tagen wurden wir auf die Prüfung vorbereitet.

8
1. könnte   4. müssten/sollten
2. Wäre   5. müssten/sollten
3. dürfte

9
1. Das ist (doch) Unsinn!
2. Ich bin damit absolut einverstanden.
3. Das sehe ich ganz anders.
4. Ich stimme dem zu.
5. Das ist auch meine Meinung.
6. Meiner Meinung nach …
7. Das stimmt.
8. Ich bin ganz sicher.
9. Du hast nicht recht.
10. Ich halte das für (sehr) richtig.

10

Nomen	Verb	Adjektiv
das Produkt / die Produktion	produzieren	produktiv
die Sauberkeit	säubern / sauber machen/ halten	sauber
die Sparsamkeit	sparen	sparsam
die Verpackung	verpacken	verpackt
die Verantwortung	verantworten	verantwortich
die Behandlung	behandeln	behandelt
die Entwicklung	entwickeln	entwickelt

11
1. entsorgen, produzieren, sammeln, sortieren, vermeiden, verringern, verursachen, wegwerfen
2. produzieren, sparen, vermeiden, verringern

Kapitel 34

1 1a; 2b; 3c; 4c; 5b; 6b; 7a; 8a; 9c; 10c

2
1. Bei vielen Städten, in denen ich gelebt habe, habe ich Heimatgefühle.
2. Ich verbinde Heimat mit Erlebnissen, die mir etwas bedeuten.
3. Heimat, das ist der Garten meines Vaters, in dem ich als Kind gespielt habe.
4. Die Kartoffelsuppe, die meine Mutter für mich gekocht hat, verbinde ich mit Heimat.
5. Heimat ist auch die Sprache, in der ich meine Gefühle ausdrücken kann.
6. Ich denke vor allem an Menschen, die ich liebe, wenn ich an Heimat denke.
7. Vor allem die Landschaft, die ich als Kind erlebt habe, ist für mich mit Heimat verbunden.
8. Auch der Geruch des Brotes, das ich früher oft gegessen habe, löst bei mir Heimatgefühle aus.

3
● Hallo, Nikola. Schön, dass du dir für unser Interview Zeit genommen hast. Kannst du dich bitte kurz vorstellen?
○ Ich heiße Nikola Lainović. Ich bin in Belgrad, in Jugoslawien, geboren. Ich bin mit einer deutschen Frau verheiratet und lebe seit über zehn Jahren als Zeichner in München.
● Warum hast du deine alte Heimat verlassen?
○ Das war ein Zufall. Mein Vater ist Maler und er hatte eine Ausstellung in Florenz, in Italien, und ich bin einfach mit ihm nach Florenz gefahren und dageblieben.
● Dort hast du auch deine Frau kennengelernt?
○ Ja, wir haben ein Fest in unserem Studio gemacht und da ist sie auch gekommen und da haben wir uns kennengelernt.
● Darf ich fragen, was sie in Florenz gemacht hat?
○ Sie hat Kunstgeschichte studiert und ein Praktikum in Florenz gemacht.
● Und wann seid ihr nach Deutschland gezogen?
○ Das war 1999, glaube ich.
● Du hast die Lehrbücher von Berliner Platz illustriert. Im Kapitel 34 gibt es ein Gedicht. Wie findest du es?
○ Ich finde es ganz o. k.
● Hast du eine Lieblingszeile?
○ Ja, ja. Ich habe zwei Lieblingszeilen: „Heimat ist dort, wo ich mich wohlfühle" und „Gefühle kennen keine Grenzen".
● Deine Aufgabe war ja, eine Zeile des Gedichts zu illustrieren. Warum hast du sie so gezeichnet?
○ … ich habe meine Frau und mich gezeichnet. Das ist: „Gefühle kennen keine Grenzen." Ich bin wegen ihr nach Deutschland gekommen.

4
1. daran   5. darauf
2. davor   6. darüber
3. daran   7. darum
4. dazu

5
1. Adelina kam mit 14 nach Deutschland.
2. Ihre Großmutter sprach noch etwas Deutsch.
3. Sie zogen in den Norden Berlins.
4. Keine Mitschülerin lud sie zu sich nach Hause ein.
5. 1996 gab es dort noch Straßenschlachten.
6. Damals wurden Jugendhäuser gegründet.
7. Adelina lernte zunächst Laborassistentin.
8. Danach machte sie ihr Abitur und begann ein Studium.

6a
1. Obwohl er immer wenig Geld hat, fährt er jedes Jahr in Urlaub.
2. Obwohl sie krank ist, fährt sie mit dem Fahrrad zum Arzt.
3. Weil ihre Kinder es mal besser haben sollen, sind die Eltern emigriert.
4. Obwohl sie Psychologie studiert hat, arbeitet sie heute als Putzfrau.
5. Weil Kolja sein Deutsch verbessern möchte, geht er nach der Arbeit zur Abendschule.
6. Weil Adelina auf dem zweiten Bildungsweg ihr Abitur gemacht hat, konnte sie studieren.

6b
1. Wir wollen die Wohnung renovieren. Deshalb/ Deswegen können wir in diesem Jahr nicht wegfahren.
2. Obwohl er schon 100 Bewerbungen geschrieben hat, hat er noch keine Stelle.
3. Ein Hotel ist zu teuer. Deshalb/Deswegen fährt Familie Schmidt immer auf einen Campingplatz.
4. Sie haben ein Zimmer mit Bad bestellt. Trotzdem haben sie nur ein Zimmer mit Dusche bekommen.
5. Obwohl ich seit 3 Wochen keine Schokolade mehr esse, nehme ich nicht ab.

6. Weil viel Kaffee schlecht für meinen Magen ist, trinke ich jetzt oft Tee.
7. Er ist gegen Katzenhaare allergisch. Trotzdem hat Herr Kunze zu Hause eine Katze.

7
1. Wenn ich Lehrerin wäre, würde ich viele Ausspracheübungen machen.
2. Wenn ich kein Auto hätte, würde ich immer mit dem Fahrrad fahren.
3. Wenn meine Familie hier nicht wohnen würde, hätte ich großes Heimweh.
4. Wenn Tarek besser Deutsch sprechen würde, könnte er in der Telefonzentrale arbeiten.
5. Es wäre schön, wenn wir einen warmen Sommer hätten.
6. Wenn ich nicht so viel zu tun hätte, würde ich mit euch ins Kino gehen.
7. Es wäre gut, wenn wir zusammen lernen könnten.
8. Ich würde mehr Sport machen, wenn ich mehr Zeit hätte.
9. Wenn ich in Berlin wohnen würde, würde ich nur auf Flohmärkten einkaufen.
10. Wenn das Wörtchen „wenn" nicht wäre, wäre ich ein Millionär.

8
1. sehen	4. Fühl
2. höre	5. riecht
3. schmecken	

Kapitel 35

1a
1. das Vorstellungsgespräch
2. die Bewerbungsunterlagen
3. die Selbstständigkeit
4. die Lohnsteuerkarte
5. die Gehaltserhöhung
6. die Teilzeitarbeit
7. die Überstunden
8. der Schichtdienst
9. der Arbeitnehmer
10. der Stundenlohn
11. der Lebenslauf
12. die Werkstatt
13. die Karriere
14. das Zeugnis
15. brutto
der Streik
das Einkommen
das Arbeitsamt
die Beschäftigung
das Gehalt
der Arbeitgeber
die Arbeitszeit
der Berufswunsch
der Einkauf
netto

1b 1c; 2f; 3d; 4a; 5e; 6g; 7f

2
1. Margarete telefoniert, während sie Spaghetti kocht.
2. Michael hat die Fotos gemacht, während er in Köln studiert hat.
3. Sie dürfen die Software benutzen, während Sie diesen Kurs besuchen.
4. Kannst du Musik hören, während du arbeitest?
5. Peter hat sich mit Lisa unterhalten, während er auf den Bus gewartet hat.

3
1. Nena Buz hat drei Monate in Lusaka Englisch unterrichtet. / … unterrichtete drei Monate …
2. Die Lehrer und die Kinder waren total nett. / … sind total nett gewesen.
3. Es gab nicht genug Lehrbücher für die Kinder. / Es hat nicht genug Lehrbücher für die Kinder gegeben.
4. Der Unterricht hat gut funktioniert, weil die Kinder sehr interessiert waren. / … funktionierte gut, weil … waren.
5. Am Anfang hatte er große Schwierigkeiten. / … hat er große Schwierigkeiten gehabt.
6. Sie hat viele nette Freunde gefunden. / … Sie fand viele …

4
1. Bevor	7. Nachdem; Seit
2. bevor; wenn	8. als
3. Nachdem; Bevor	9. Während; Wenn
4. Als	10. Seit
5. Wenn; Bis	11. während; als
6. Seit	12. Nachdem; Als

5 1C; 2H; 3L; 4M; 5D; 6G; 7I; 8B; 9N; 10K; 11E; 12F; 13J; 14O; 15A

6a Ich habe einfach aus meiner <u>Leidenschaft</u> einen Beruf gemacht. Ich <u>frühstücke</u> <u>wahnsinnig</u> gerne! Nun <u>biete</u> ich einen „Frühstücksservice" an. Für jede Gelegenheit. <u>fast</u> jede Gelegenheit. Sie können bei mir zwischen 6 und 12 Uhr <u>verschiedene</u> Frühstücksmenüs <u>bestellen</u>. Eine halbe Stunde <u>später</u> klingele ich an <u>Ihrer</u> Tür und bringe Ihnen ein köstliches <u>Frühstück</u> nach Ihren Wünschen! Das ist mein Service.

6b Tja, ich habe einen Online-Verkauf <u>angefangen</u>. Ladenmiete, Öffnungszeiten, Laufkundschaft, das <u>war</u> mir zu kompliziert. An zwei oder drei Tagen in der Woche <u>fahre</u> ich mit meinem Kleinbus zu Haushaltsauflösungen und kaufe alle möglichen gebrauchten Gegenstände. Ich bringe die Sachen in mein Lager und sortiere das Angebot: Tische, Stühle, Besteck, Bücher, Bilder .. ich <u>habe</u> schon fast alles gehabt. Der Verkauf <u>geht</u> dann über das Internet, meistens über Auktionen, wie z. B. eBay. Das klappt super.

7 1a; 2c; 3a; 4b; 5b; 6c; 7b; 8a; 9c; 10b

Kapitel 36

1a 1e; 2a; 3h; 4f; 5c; 6g; 7b; 8d

2
1a arbeitende Frauen
1b ein lachendes Kind
1c kratzende Pullover
1d ein lesender Student
1e wartende Menschen
1f ein arbeitssuchender Mann
1g ein essender Schüler
1h ein laufender Fernseher

2a ein gelernter Text
2b ein gewaschene Hose
2c ein gebügeltes Hemd
2d eine tapezierte Wohnung
2e ein geliehenes Fahrrad
2f eine vermisste Jacke
2g ein gedeckter Tisch
2h eingeladene Gäste

3
1. das; die	3. die; die
2. den; dem	4. denen

4
1. gebügeltes	7. vergangenen
2. gesprochenen	8. qualifizierten
3. ausgefüllten	9. sprechender
4. lachende	10. ausgebildeten
5. kommenden	11. gebackenes
6. bestandenen	

5a Schälen Sie die Äpfel.
Dünsten Sie die Äpfel in Butter an.
Schälen Sie die Kartoffeln.
Kochen Sie die Kartoffeln 20 Minuten in Salzwasser.
Gießen Sie das Wasser ab.
Fügen Sie Milch und Butter hinzu.
Rühren Sie die Kartoffeln und die Äpfel zu einem Brei.
Schmecken Sie mit Muskatnuss und Salz ab.
Schneiden Sie die Zwiebeln.
Rösten Sie die Zwiebeln in Butter.
Servieren Sie „Himmel und Erde" mit gerösteten Zwiebeln.

5b Schäl die Äpfel.
Dünste die Äpfel in Butter an.
Schäl die Kartoffeln.
Koch die Kartoffeln 20 Minuten in Salzwasser.
Gieß das Wasser ab.
Füge Milch und Butter hinzu.
Rühr die Kartoffeln und die Äpfel zu einem Brei.
Schmeck mit Muskatnuss und Salz ab.
Schneide die Zwiebeln.
Röste die Zwiebeln in Butter.
Serviere „Himmel und Erde" mit gerösteten Zwiebeln.

6 Ich <u>heiße</u> Jerome und komme aus Frankreich. Ich habe noch nie in einem <u>fremden</u> Land gelebt. Deshalb ist das Leben in Deutschland für mich wirklich neu. Und zu einem <u>neuen</u> Leben gehört eben auch eine <u>neue</u> Sprache. Deshalb <u>musste</u> ich Deutsch lernen. In der Schule <u>hatte</u> ich leider kein Deutsch, sondern Spanisch und Englisch. Am Anfang habe ich mit meiner <u>deutschen</u> Freundin Deutsch <u>gelernt</u>. Dann habe ich einen Intensivkurs <u>besucht</u>. Ich hatte keine <u>großen</u> Probleme. Die Grammatik hab ich schnell <u>verstanden</u>, das Lernen der Wörter dagegen war schwieriger. Mein Lehrer <u>hat</u> mir dabei geholfen und mit <u>gezeigt</u>, wie man gut mit Lernkarten neue Wörter lernen kann. Lernkarten sind für mich die <u>beste</u> Methode. Ich <u>nehme</u> sie überallhin mit: in die Straßenbahn, in den Garten oder an den See.

7 1. Nein, ich brauche nicht für den Test zu lernen.
2. Nein, du brauchst nicht alle Grammatikregeln zu können.
3. Nein, ihr braucht nicht zu übersetzen.
4. Nein, ich brauche mir kein neues Fahrrad zu kaufen.
5. Nein, sie braucht heute nicht einkaufen zu gehen.

6. Nein, ihr braucht die Treppe nicht zu putzen.
7. Nein, du brauchst dich nicht zu bedanken.
8. Nein, du brauchst keinen Regenschirm mitzunehmen.

8 1. Frau Dr. Petri lässt die Rechnungen von ihrer Sekretärin schreiben.
2. Wann lässt du das Fahrrad reparieren?
3. Lässt der Vermieter die Dusche nicht reparieren?
4. Klaus hat immer Zeit, weil er seine Wohnung putzen lässt.
5. Warum lässt du dich nicht von deinem Freund ins Kino einladen?

9 1. Sprich bitte lauter, …
2. … keine Zeit.
3. Jennifer sagt, dass sie aus Erfurt kommt.
4. …, weil er lernen muss.
5. Nein, ich habe ihn nicht gesehen.
6. Pavel freut sich …
7. Kannst du mir helfen, Carmen?
8. …, aber Spaghetti esse ich lieber.
9. Am liebsten esse ich Döner!
10. … zu Hause geblieben.
11. Ich konnte nicht zur Party kommen, ich war krank.
12. ● Wie geht es deiner Schwester?
○ Meiner Schwester geht es prima!
13. Nach dem Unterricht …
14. … neuen Deutschlehrer?
15. ● Gehört das Fahrrad dir?
○ Nein, das gehört meinem Bruder.
16. Der Biolehrer, den wir letztes Jahr hatten, …
17. Niemand weiß, wann der Film zu Ende ist.
18. Gestern habe ich die CD auf den Tisch gelegt und jetzt liegt sie auf dem Boden.
19. Wegen eines Unfalls wurde die A 3 gesperrt.

10 1. dich erinnern
2. nachdenken
3. anwenden
4. gespeichert
5. sich … einmischen
6. übersetzt
7. mich … angestrengt
8. Vokabeln
9. stolz
10. verständlich
11. aufzufrischen

Quellen

Alle Fotos, die im Folgenden nicht aufgeführt sind: Vanessa Daly

S. 6: Fotos und Logo: Homepage des Friedrich-Ebert-Gymnasiums Bonn, Projektleiterin: Dr. Iris Grote
S. 7: Lutz Rohrmann
S. 23: Lutz Rohrmann
S. 25: Lomexx – Fotolia.com
S. 28: tbel – Fotolia.com
S. 34: Maria P. – Fotolia.com
S. 40: unten: mit freundlicher Genehmigung des Deutschen Rollstuhl-Sportverbands e. V., Duisburg
S. 42: Paul Rusch
S. 46: Franjo – Fotolia.com

S. 54: oben: R K B by Dieter-Schütz – pixelio.de
Mitte links: R K by Gisela-Peter – pixelio.de
Mitte rechts: R B by Thommy Weiss – pixelio.de
unten: R K by Gisela-Peter – pixelio.de
S. 58: Lutz Rohrmann
S. 60: Dmitry Maslov – iStockphoto
S. 64: oben: Christiane Lemcke
S. 66: Julija Sapic – Fotolia.com
S. 70: jwblinn – Fotolia.com
S. 71: Annalisa Scarpa-Diewald
S. 72: Alexander Jany